COLLECTION DECOUVERTE CADET

Dans la même collection

Le livre de tous les pays
Le livre de la Bible

1 Le livre des fleurs
2 Le livre de la tour Eiffel
3 Le livre de la peinture et des peintres
4 Le livre des découvertes et des inventions
5 Le livre de l'hiver
6 Le livre de l'automne
7 Le livre du printemps
8 Le livre de l'été
9 Le livre des marins
10 Le livre de mon chat
11 Le livre de la montagne
12 Le livre du ciel
13 Le livre de tous mes amis
14 Le livre de tous les jours
15 Le livre du cheval
16 Le livre des chansons de France
18 Le livre des premiers hommes
19 Le livre des costumes
(La mode à travers les siècles)
20 Le livre des maisons du monde
21 Le livre des arbres
22 Le livre des oiseaux
23 Le livre des bords de mer
24 Le livre de la langue française
25 Le livre de l'histoire de France
26 Le livre de tous les Français
27 Le livre des trains
28 Le livre de la découverte du monde
29 Le deuxième livre des chansons
(de France et d'ailleurs)
34 De bouche à oreille
(Le livre des images de la langue française)

ISBN 2-07-039499-9

1er dépôt légal: Novembre 1982
Dépôt légal: Mai 1987
Numéro d'édition: 40596
Imprimé par la Editoriale Libraria en Italie

LE PLAISIR DES MOTS

DICTIONNAIRE POÉTIQUE ILLUSTRÉ

Des mots pour rêver
et des poèmes
proposés
par

Georges Jean

Des dessins
de

Christine Adam, Elisabeth Alglave,
Jean-Louis Besson, Béat Brüsch,
Bertrand Chauveau, Sylvie Chrétien,
Nicole Claveloux, Jean Claverie,
Donald Grant, Laurie Jordan, Sophie
Kniffke, Agnès Matthieu, Frankie
Merlier, Claude et Denise Millet,
Jean-Pierre Moreau, Michel Notton,
Sylvaine Pérols, Tony Ross,
Wilhelm Schlote, Etienne Souppart,
Brigitte Susini, Akos Szabo,
Dominique Thibault, Pierre-Marie
Valat, Lázló Varvasovszky.

Et des jeux
Charades, rébus, devinettes...

GALLIMARD

DES MOTS POUR RÊVER

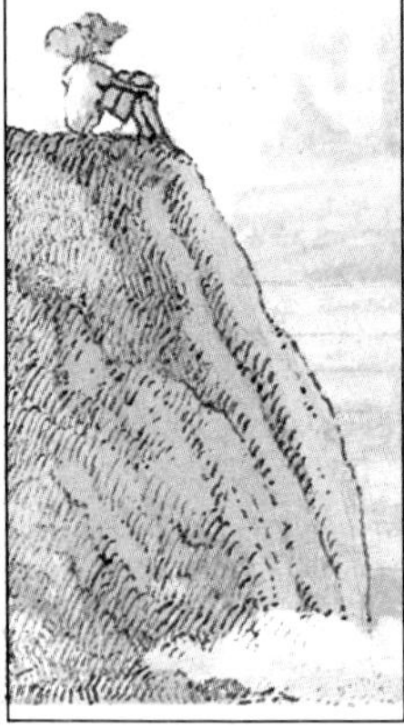

J'aime les mots ! Et vous ?

J'aime les mots parce qu'ils me parlent. Je les aime quand ils chantent à mes oreilles. J'aime surtout ceux qui me font rêver. Et parmi tous ces mots, il en est que j'aime plus que d'autres.

J'en ai choisi un certain nombre. Pas tous ! Car il m'aurait fallu un trop gros livre. Je vous les présente ici.

Ce sont *mes* mots. Ce ne sont peut-être pas *les vôtres*. Mais certains d'entre eux deviendront, j'en suis sûr, vos mots pour rêver. Et vous trouverez dans vos lectures, sur les murs de vos villes ou de vos villages, en écoutant les gens, en regardant vos feuilletons à la télévision, dans vos classes en écoutant vos maîtres, d'autres mots que vous aimerez vous dire, vous murmurer, vous chantonner... sans chercher toujours à les comprendre...

Cela ne signifie pas du tout que mes mots, je me contente de vous les montrer ! Non, j'ai voulu enlever leurs masques, aller voir derrière ce qu'ils disaient, et j'ai tenté, comme on fait dans les grands dictionnaires, de les expliquer.

Bien mieux ! Chaque fois que cela était possible sans trop de complica-

tions, j'ai essayé de vous raconter la petite histoire de mes mots. Il faut reconnaître que ces histoires sont souvent curieuses, amusantes, inattendues. Par exemple, le mot *galaxie*. Je trouve qu'il fait rêver bien plus intensément quand on sait qu'il vient d'un mot grec signifiant « lait ». Une galaxie, c'est en quelque sorte un lait d'étoiles ! Et saviez-vous que le mot *troubadour* a pour origine un mot de la langue provençale qui signifie « celui qui trouve »... Celui qui trouve les mots des chansons, des poèmes...

Et puis, vous savez bien qu'un mot tout seul dans un dictionnaire, par exemple, est un mot qui s'ennuie. Et qu'il ne montre son vrai visage, c'est-à-dire sa vie, son ou ses sens, qu'avec d'autres mots dans des phrases, des paragraphes, des romans, des poèmes, des livres... Alors, chaque fois que j'ai pu, j'ai cherché dans un poème, un proverbe, un vieux livre, ou une B.D., des phrases drôles, des phrases poétiques dans lesquelles le mot « brillait de tout son éclat », comme dit un poète. Et je me suis même parfois amusé, pour mon plaisir et je l'espère pour le vôtre, à fabriquer une comptine, un petit poème pas trop grave. Car j'aime bien jouer avec les mots. Et j'espère que vous ferez comme moi, avec vos mots...

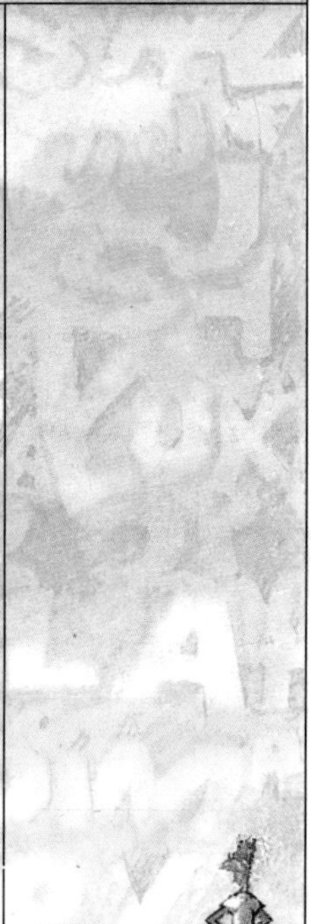

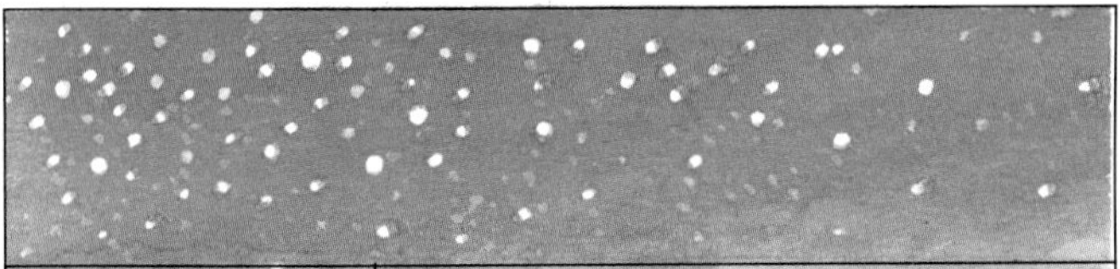

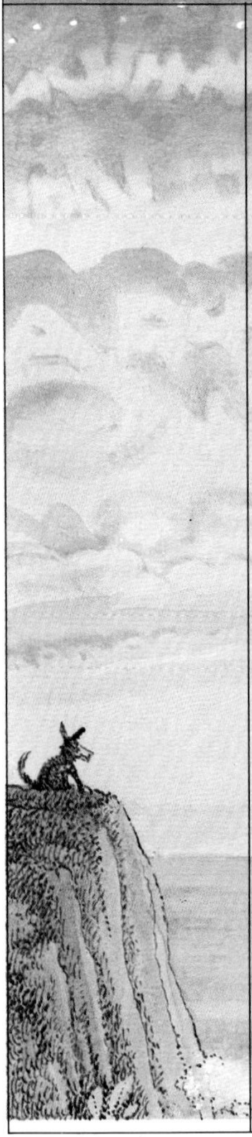

Avant de vous laisser feuilleter, lire, regarder les images que des amis ont inventées pour tendre des miroirs de couleurs à quelques-uns de mes mots et vous les expliquer d'une autre façon, il me reste à préciser quelques points.

A quelques exceptions près, je n'ai pas retenu les mots familiers ou courants que vous trouverez dans vos dictionnaires.

J'ai choisi des mots parfois un peu « vieillis » parce qu'ils sont savoureux et des mots « modernes » scientifiques ou populaires – comme ceux que les enfants d'aujourd'hui emploient entre eux –. Certains mots sont un peu « difficiles », d'autres presque des « gros mots ». Mais les uns et les autres, me semble-t-il, font tant de plaisir à la bouche et aux oreilles... Alors...

Et lorsque vous voudrez jouer avec les mots, rendez-vous à la page 324 de ce livre. Je vous indiquerai quelques trucs pour faire de ces compagnons des sources de merveilles et de plaisirs qui multiplient nos rêves et vous feront aimer un peu mieux notre langue et le langage.

De mon poste d'aiguillage
Je m'amuse avec les trains
Je fais de très beaux voyages
J'invente des paysages
Enchantés et qui sont loin
De la gare de triage
Grise et triste le matin

G.Jean

A

abeille (nom féminin)

On l'appelait autrefois « avette » ou « mouche à miel » ; car cet insecte qui vit en collectivité, dans les ruches, fabrique le miel. Le miel est destiné à la nourriture des bébés-abeilles. Mais nous le subtilisons pour notre gourmandise ! Celui qui élève des abeilles est un apiculteur.

Vous savez également que les abeilles piquent lorsqu'on les dérange.

Les abeilles ensemble font une espèce de musique bourdonnante agréable et qui fait rêver. Le poète y pensait évoquant :

le bruit des petites filles plus doux
qu'un bruit d'abeilles.

Victor Hugo

abribus (nom masculin)

Ce n'est pas un « abri » pour les « bus » mais un abri pour ceux qui attendent le bus. Les abribus sont de petites cages transparentes posées depuis peu sur les trottoirs et les places des villes. On y voit de la publicité. Et les enfants des campagnes voudraient beaucoup d'abribus aux coins des chemins, l'hiver, lorsqu'ils attendent le passage du bus de ramassage scolaire !

abricot (nom masculin)

A

On raconte que l'abricot, fruit de l'abricotier, jaune orangé, vient d'un pays lointain, l'Arménie. C'est peut-être ce qui donne aux abricots cette saveur qui fait rêver au soleil de l'Orient ?

Ce fruit est connu depuis bien longtemps et déjà le poète Pierre de Ronsard quand il partait « manger sur l'herbe » avec des amis recommandait à son valet Corydon de ne pas oublier les abricots.

Corydon, marche devant
Sache où le bon vin se vend,
Fais rafraichir la bouteille,
Cherche une ombrageuse treille
Pour sous elle me coucher :
Ne m'achète point de chair
Car tant soit-elle friande,
L'Eté je hay la viande.
Achète des abricots
Des pompons, des artichaux
Des fraises et de la crême ;
C'est en Eté ce que j'aime...

Et n'a-t-on pas dit :« l'abricot, abri de l'asticot ! »

A

académie (nom féminin)

A Athènes, au Ve siècle avant Jésus-Christ, le philosophe Platon enseignait en se promenant dans les jardins d'un personnage nommé Akadémos. Une académie c'était une école. Puis le mot a désigné une assemblée de savants : l'Académie des Sciences, d'écrivains : l'Académie française. Le membre d'une Académie est un académicien.

accordéon (nom masculin)

Ou encore «piano du pauvre», ou «piano à bretelles». Cet instrument de musique ressemble en effet à un piano avec ses claviers et ses touches. Mais on le porte, et l'instrumentiste, l'accordéoniste, étire le «soufflet» et le referme pour faire vibrer les lamelles qui produisent la musique. Instrument populaire et qui fait danser comme le chante le poète Francis Carco :

C'est au son de l'accordéon
Que Nénette a connu Léon
Et que j'ai rencontré Fernande
L'accordéon qui tant est tendre,
Et rauque inexorablement.

Francis Carco

A

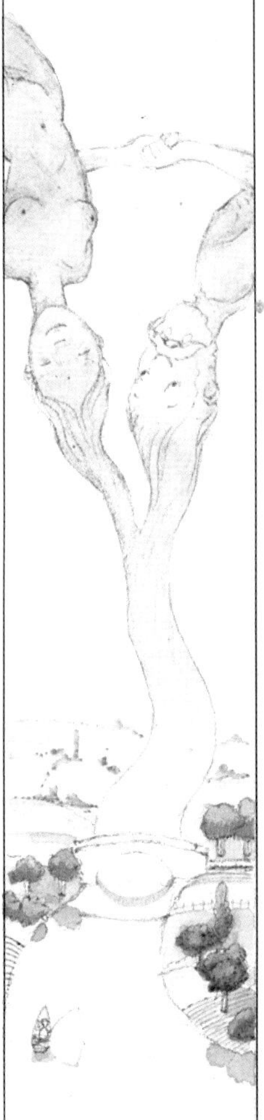

accoucher (verbe)

La maman se couche pour mettre son bébé au monde. Elle accouche.

Mais on dit aussi de quelqu'un qui fait un gros effort pour mettre au monde rien du tout ou pas grand chose : «c'est une montagne qui accouche d'une souris !».

aérodynamique (adjectif)

Une voiture aérodynamique est une voiture dont les formes profilées offrent peu de résistance à l'air et qui de ce fait va plus vite en consommant moins de carburant.

Un nez aérodynamique est un nez qui fend la bise comme celui de Croquignol, le héros des Pieds Nickelés.

affluent (nom masculin)

Un affluent est un cours d'eau qui se jette dans un autre.

La Saône est un affluent du Rhône.

Dans le fleuve entre la rivière
On dit qu'elle est son affluent
Elle l'épouse au confluent
Où les eaux mêlent leurs crinières.

G.Jean

A

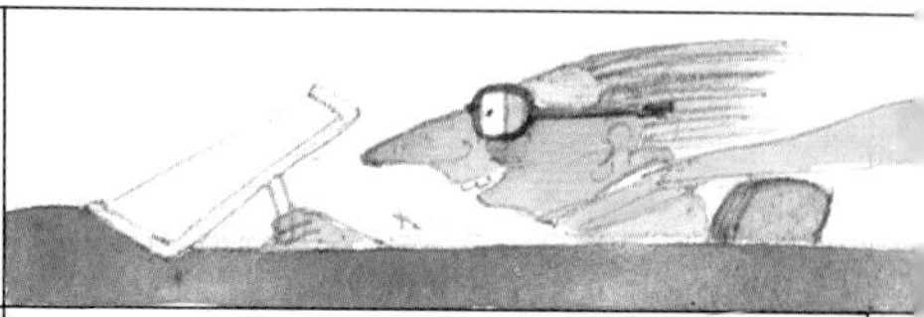

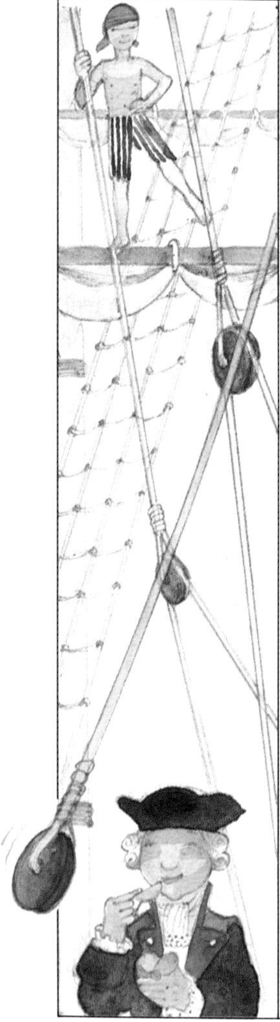

agrès (nom masculin pluriel)

Tout ce qui fait qu'un bateau à voile est autre chose qu'une barque : les poulies, les cordages, les voiles, les vergues.

On emploie également ce mot pour désigner les instruments : barres fixes, barres parallèles, cheval d'arçon, poutre, etc., utilisés par les gymnastes.

agrumes (nom masculin pluriel)

Mot italien qui signifie originairement : acide.

Désigne aussi des fruits que nous aimons : les oranges, les mandarines, les clémentines, les citrons et les pamplemousses.

L'orange et sa saveur d'ange,
Le citron pour les bonbons,
Le pamplemousse qui pousse
Comme le soleil
Les mandarines que je hume
Et les petites clémentines
Tous ces fruits d'or sous le ciel
Sont la famille des agrumes !

G. Jean

aïeul (nom masculin)

Ce mot est souvent employé au pluriel. On dit : «les aïeux». Egalement : «les aïeuls». Quand on dit : mes aïeuls, on pense à ses grands-pères, à ses grands-mères. Mais nos ancêtres les gaulois sont nos aïeux !

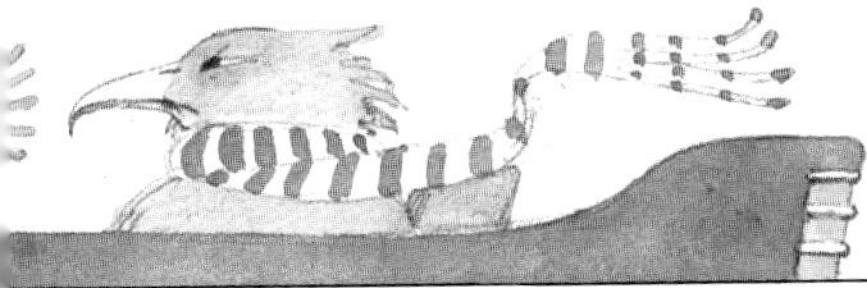

A

aigle (nom masculin)

Oiseau de proie diurne de grande envergure qui vit dans les hautes montagnes. On dit que les aigles ont une vue perçante, d'où l'expression : «un regard d'aigle».

De tous oiseaux je suis le roi
Voler je puis en si haut lieu
Que le soleil de près je vois.
Bénis sont ceux qui verront Dieu.

cité par Claude Roy

aiguillage (nom masculin)

Quand on fait passer un wagon ou un train d'une voie sur une autre, on manœuvre des rails mobiles : l'aiguillage.

ajonc (nom masculin)

Les ajoncs sont des buissons à fleurs d'or. Ils sont épineux.

Les genêts qui leur ressemblent beaucoup ne piquent pas.

A

albatros (nom masculin)

Oiseau de mer vivant surtout dans l'hémisphère sud. Il a de très grandes ailes. Il est très vorace. Il vole admirablement et marche très maladroitement, à cause de ses ailes.

Souvent pour s'amuser,
les hommes d'équipage
Prennent des albatros,
vastes oiseaux des mers,
Qui suivent, indolents
compagnons de voyage,
Le navire glissant sur les gouffres amers.

Charles Baudelaire

alchimie (nom féminin)

Activité de personnages, les alchimistes, qui cherchaient à découvrir à travers toutes sortes d'expériences « la pierre philosophale ». Ils pensaient qu'elle serait capable de changer tous les métaux en or et de guérir toutes les maladies.

alluvion (nom féminin)

S'emploie surtout au pluriel. Désigne la terre fertile que laissent les fleuves et rivières en se retirant après avoir débordé de leur lit.

alouette (nom féminin)

Cet oiseau fait son nid dans les champs et a la particularité de repérer son nid du plus haut du ciel où elle chante comme si elle brisait du cristal. Lorsqu'elle l'a aperçu, elle se laisse tomber comme une pierre.

A

C'est en éternuant
que je l'ai
perdue de vue,
l'alouette

Bashô

alvéole (nom féminin)

Petite cavité dans laquelle les abeilles déposent leurs œufs et leur miel.

Cavités où sont plantées les dents.

Les dents sont fichées dans les mandibules (mâchoires), en certaines cavités appelées alvéoles, comme un pau (un pieu) fiché en terre.

Ambroise Paré

amaryllis (nom féminin)

L'amaryllis est une plante dont la très belle fleur aux couleurs éclatantes est encore appelée « Lys de Saint Jacques ».

Cette fleur tient son nom de celui d'une bergère très jolie.

A

amazone (nom féminin)

S'emploie souvent au pluriel.

Femmes guerrières de la mythologie qui se coupaient ou se comprimaient le sein droit pour pouvoir mieux tirer à l'arc.

Elles n'aimaient pas les messieurs et il paraît que les Amazones américaines ont donné leur nom au grand fleuve du Brésil : l'Amazone !

Il paraît que les Amazones
Préféraient les chevaux aux hommes !
C'étaient de cruelles personnes
Ces dames, qui se battaient comme
De vieux grognards au cuir tanné !
Pourtant, il faut qu'on leur pardonne,
Car on dit qu'elles étaient belles
Alors au nom de la beauté
Rêvons avec sérénité
A ces étranges demoiselles.

G. Jean

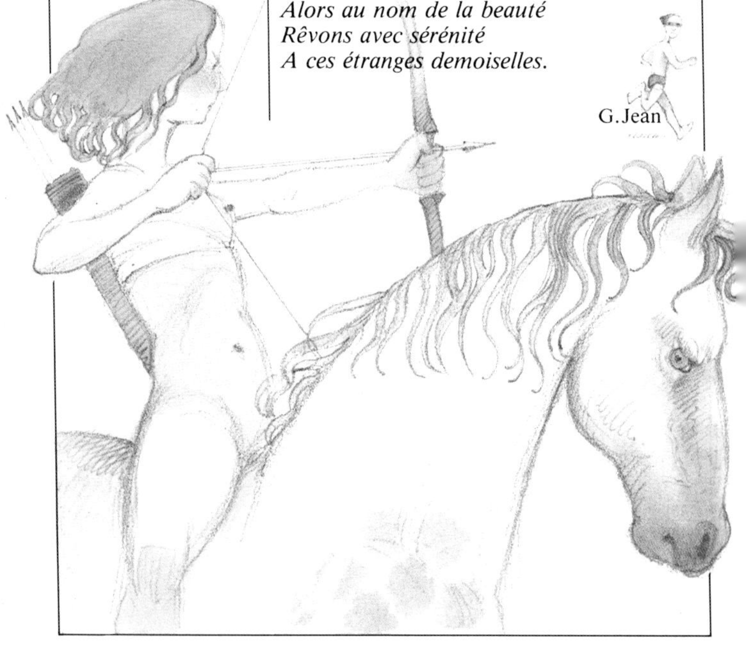

ambre (nom masculin)

L'ambre jaune est une résine fossile dont on fait des fume-cigarettes, des tuyaux de pipes.

L'ambre gris est une matière très parfumée que l'on trouve dans l'intestin des cachalots.

âme (nom féminin)

L'âme serait ce qui anime le corps, ce qui le fait vivre.

Pour les croyants, l'âme est ce qui survit au corps après la mort de ce dernier.

L'amour ne voit pas avec les yeux
mais avec l'âme.

William Shakespeare

améthyste (nom féminin)

Cette pierre précieuse d'une belle couleur violette signifie en grec «contre l'ivresse». Les Anciens croyaient en effet qu'elle préservait des effets du vin.

... qu'elle rende agréable et gentil
Sobre, honnête, courtois,
d'esprit prompt et subtil,
Celui qui dans le sein
la portera cachée,
Ou dessus le nombril
étroitement collée.

Rémi Belleau

ammonite (nom féminin)

Coquillage fossile enroulé comme une corne de bélier.

Les Egyptiens représentaient sous les traits d'un bélier leur Dieu Ammon. D'où le nom «ammonite».

A

Les plus rares fleurs
Mêlant leurs odeurs
Aux vagues senteurs
de l'ambre.

Charles Baudelaire

A

amphibie (adjectif)

Qui peut vivre sur terre et dans l'eau ou circuler sur terre et sur l'eau.

La grenouille est amphibie
Cette automobile aussi !
Mais toute la différence
C'est que l'auto ne peut pas
Se promener tout en bas
De la mare ou de l'étang
Où la grenouille descend !
Mais il faut avoir confiance,
Bientôt viendront des taxis,
Pour visiter les pays
Où la vie est amphibie !

G. Jean

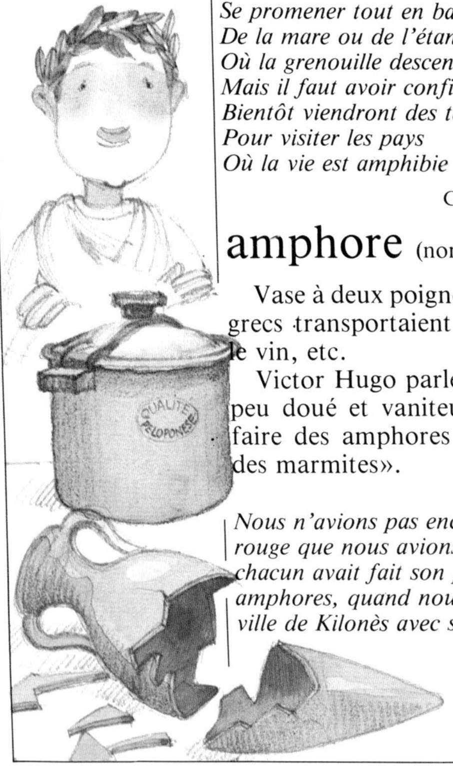

amphore (nom féminin)

Vase à deux poignées dans lequel les grecs transportaient l'huile, le grain, le vin, etc.

Victor Hugo parle d'un potier grec peu doué et vaniteux «qui rêvait de faire des amphores et ne faisait que des marmites».

Nous n'avions pas encore épuisé le vin rouge que nous avions à bord ; car chacun avait fait son plein dans les amphores, quand nous avions pillé la ville de Kilonès avec ses sanctuaires.

Homère

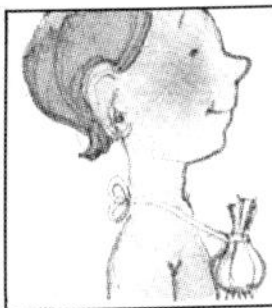

A

amulette (nom féminin)

Petit objet, bijou par exemple que l'on porte sur soi pour se préserver du mauvais sort, ou des maladies. C'est aussi un fétiche, une mascotte, un gri-gri.

Amulette et Allumette
S'en allèrent sur la lune,
A l'appel de l'alouette
Qui allumait à la brune
L'alumine à l'unisson.

Tout ça fait une chanson
Que tu pourras sans façon
Porter comme une amulette
Ou brûler à l'allumette.

G.Jean

anagramme (nom féminin)

C'est un jeu. On prend les lettres d'un mot pour faire un autre mot. Ainsi avec «ancre» on fait «rance», avec «gare» on fait «rage», avec «signe» on fait «singe». A vous d'inventer d'autres anagrammes sur ces lignes :

A

ancolie (nom féminin)

Une fleur dont le nom dit, en latin, qu'elle «recueille l'eau».

L'anémone et l'ancolie
Ont poussé dans le jardin
Où dort la mélancolie
Entre l'amour et le dédain.

Guillaume Apollinaire

andouille (nom féminin)

Boyau de porc garni de tripes et d'épices et dont on fait à Vire ou à Guéménée de très bonnes choses.

Quelqu'un qui n'est ni très malin ni très nerveux, est une espèce d'andouille.

Ceux qui sont très grands sont parfois appelés «dépendeurs d'andouilles».

La moutarde était... leur baume céleste : en en mettant sur les plaies des andouilles blessées, celles-ci guérissaient en fort peu de temps, les mortes ressuscitaient.

Rabelais

anecdote (nom féminin)

D'un mot grec qui signifie «chose inédite».

Une anecdote est une petite histoire qui raconte un fait, un événement amusant et de peu d'importance.

anémone (nom féminin)

Le nom de cette fleur multicolore, légère et fragile, provient d'un mot grec qui signifie «vent», et ceci parce que l'anémone est la fleur qui s'ouvre à tous les vents.

anfractuosité (nom féminin)

Une cavité dans la terre, la roche, qui est non seulement profonde mais encore compliquée, faite de tours et de détours, comme le mot.

angélus (nom masculin)

Les cloches des églises de villages sonnent encore parfois l'angélus, le matin, à midi et le soir. L'angélus est la prière que l'on jette au ciel à cette occasion, avec les cloches.

angora (adjectif)

Les lapins, chats et chèvres angoras ont des poils longs et soyeux dont on fait de la laine angora.

Un personnage de Georges Courteline qui avait du goût pour les liaisons, et peu de raison disait, pour parler d'un chat, soit un «petit tangora», soit un «gros zangora», soit un «nangora», tout simplement.

A

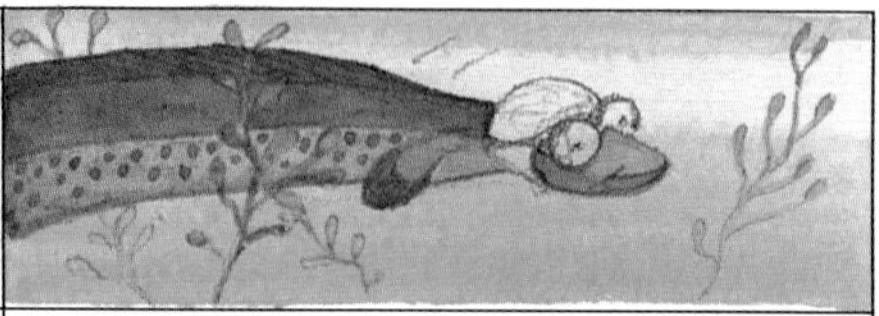

Je vois une anguille
Qui peignait sa fille ;

Je vois un serpent
Qui grinçait
des dents ;

J'ouvre ma fenêtre
Pour le faire paître ;

J'ouvre mes barreaux
Pour le jeter
dans l'eau.

Comptine

anguille (nom féminin)

Ce poisson comme son nom l'indique en latin, «petit serpent», ressemble à un serpent.

Mais connaissez-vous le sens des expressions : «vif comme une anguille», «écorcher l'anguille par la queue» ?

anonyme (adjectif ou nom masculin)

D'un mot grec qui signifie «privé de nom». Quand on dit : «l'auteur de ce livre est anonyme», on parle d'un livre dont on ignore le nom de l'auteur.

Une lettre anonyme est une lettre qui n'est pas signée.

Dire : «je veux garder l'anonymat», c'est refuser de donner son nom.

Un anonyme est quelqu'un qu'on ne remarque pas.

antan (adverbe)

Signifie «l'an passé» ou plus généralement «autrefois».

Mais où sont les neiges d'antan ?

François Villon

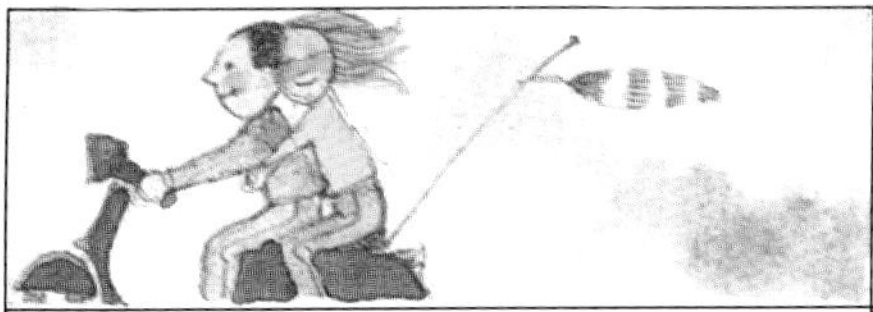

A

antenne (nom féminin)

L'antenne était à l'origine une longue vergue, c'est-à-dire une fine et solide tige de bois qui soutenait une voile.

Les antennes sont aussi ces espèces de cornes fines et mobiles qui servent aux insectes, pour sentir, entendre et communiquer entre eux.

Et vous savez tous que les images de la télévision nous arrivent par les antennes qui sont sur nos toits.

«Avoir des antennes», c'est être capable d'«entendre avant».

antilope (nom féminin)

Animal ruminant d'Afrique et d'Asie, aux cornes creuses, aux pattes fines, qui court très vite, et fait des bonds, fait des bonds...

L'antilope a la tête si fine
Dans le jour lumineux qui s'attarde
Qu'elle emporte du ciel à ses cornes
Et de loin les fauves la regardent.

Jules Supervielle

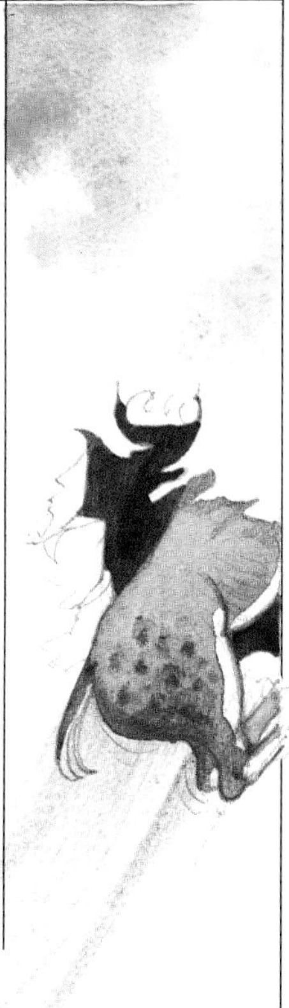

A

antipode (nom masculin)

«Etre aux antipodes», c'est littéralement «avoir les pieds de l'autre côté». De l'autre côté de la terre par exemple. Dans l'ancien temps, un antipode était un monsieur qui habitait de l'autre côté.

L'antipode du point de la terre où l'on se trouve est le lieu diamétralement opposé à ce point.

Pythagore (un philosophe et mathématicien grec) disait que la terre était ronde, qu'elle était habitée en tous sens, et par conséquent qu'il y avait des antipodes qui marchaient, les pieds opposés aux nôtres.

Fénelon

antiseptique (adjectif ou nom masculin)

Un produit antiseptique est un produit qui empêche la pourriture ; que l'on emploie pour détruire les germes infectieux comme les microbes.

A

apocalypse (nom féminin)

D'un mot grec signifiant «la révolution divine». Dans le *Nouveau Testament, l'Apocalypse* de St Jean, est le livre qui décrit la vision qu'aurait eue ce saint, de l'avenir du monde.

Une apocalypse est un événement fantastique, effrayant. On dit par exemple d'un tremblement de terre, d'un raz de marée que ce sont de véritables visions d'apocalypse ou apocalyptiques.

Et je vis... qu'il se fit un grand tremblement de terre et le soleil devint noir comme un sac de crins. La lune entière parut comme du sang et les étoiles du ciel tombèrent vers la terre comme les figues vertes tombent d'un figuier secoué par un grand vent, le ciel se retira comme un livre qu'on roule, et toutes les montagnes et les îles furent remuées de leur place.

Apocalypse

appareillage (nom masculin)

Pour un bateau, ce sont toutes les manœuvres qui précèdent le départ, et le départ lui-même.

A

âpre (adjectif)

Le poète Arthur Rimbaud qui connaissait très bien le sens des mots disait : «les sentiers sont âpres» pour dire qu'ils étaient semés d'aspérités, de roches.

On dit d'un climat qu'il est âpre quand il est dur et froid :

Une âpre nuit d'hiver sans brouillard et sans lune
Tombait à larges pans dans le brouillard diffus.

Victor Hugo

aptérix (nom masculin)

C'est le nom scientifique du kiwi. Mais qu'est-ce que le kiwi ? C'est le nom commun de l'aptérix.

En fait, c'est un oiseau qui ne vole pas, qui a des plumes ressemblant à des crins. Il mesure 30 cm de long et vit en Nouvelle Zélande.

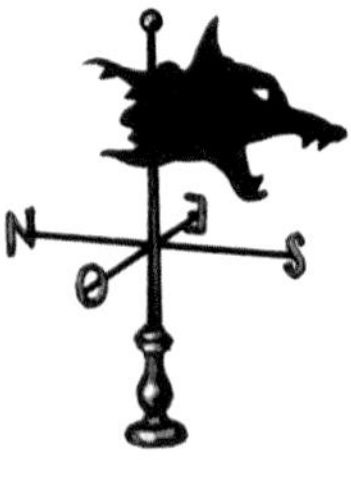

aquilon (nom masculin)

Les romains nommaient «aquilon» le vent du Nord.

C'est un vent froid et rude.

Tout vous est aquilon, tout me semble zéphyr dit le chêne au roseau, dans la célèbre fable, mais à la fin :

Du fond de l'horizon accourt avec furie
Le plus terrible des enfants
Que le Nord eût porté dans ses flancs.

Jean de La Fontaine

A

araignée (nom féminin)

L'araignée n'est pas un insecte, mais un arachnide. L'araignée, minuscule ou très grosse (la mygale, peut mesurer 18 cm) est parfois venimeuse. Mais c'est toujours une artiste, lorsqu'elle fait sa toile et son nid.

«Avoir une araignée dans le plafond» signifie être un peu dérangé !

arbalète (nom féminin)

L'arbalète était un arc qu'on tendait à l'aide d'un ressort. Arme précise, mais lente.

On dit qu'à la bataille de Crécy, en 1346, les arcs anglais plus précis ont eu raison des arbalètes françaises.

A

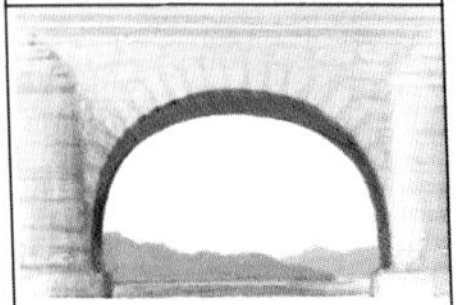

arche (nom féminin)

Vous connaissez les arches des ponts. Et peut-être aussi l'Arche de Noé. Cette arche-là était, d'après la Bible, une sorte de boîte flottante dans laquelle pendant le déluge Noé avait pris place avec sa famille et un couple de chaque espèce d'animaux. Lorsque le déluge fut fini :

Alors Dieu parla à Noé en disant : Sors de l'Arche toi et ta femme, tes fils et les femmes de tes fils avec toi. Fais sortir avec toi tous les animaux de toute chair qui sont avec toi, tant les oiseaux que le bétail et tous les reptiles qui rampent sur la terre.

La Genèse

arène (nom féminin)

Le mot arène signifie à l'origine «sable fin». C'est un endroit recouvert de sable fin.

Les arènes dont on voit encore des exemples bien conservés à Nîmes, Arles, Vérone, étaient des cirques construits par les Romains où se déroulaient les combats de gladiateurs. C'est également dans des arènes que se déroulent les courses de taureaux.

A

argot (nom masculin)

Ou encore «langue verte». C'est la manière de jacter, de baratiner des truands, casseurs et autres baluchonneurs.

aristoloche (nom féminin)

Plante qui pousse dans les endroits où il ne pousse rien ! Mais ne trouvez-vous pas que ce mot est joli et qu'il fait bien rêver ?

J'ai rêvé d'aristoloches
Dans d'artistiques logis
Quand j'étais aristocrate
Epris d'aristologie
J'aristolochais mes poches
Auprès d'une aristochatte
Et j'aristolochosème
D'aristolochopoèmes... !

G. Jean

arlequin (nom masculin)

Personnage de la comédie italienne. Il est armé d'une épée de bois ou batte. Il est capricieux, bouffon, sautillant, fantasque, souple, et il est amoureux de Colombine.

Arlequin aussi
Cet Aigrefin si
Fantasque,
Aux costumes fous,
Aux yeux luisants
sous son masque.

Paul Verlaine

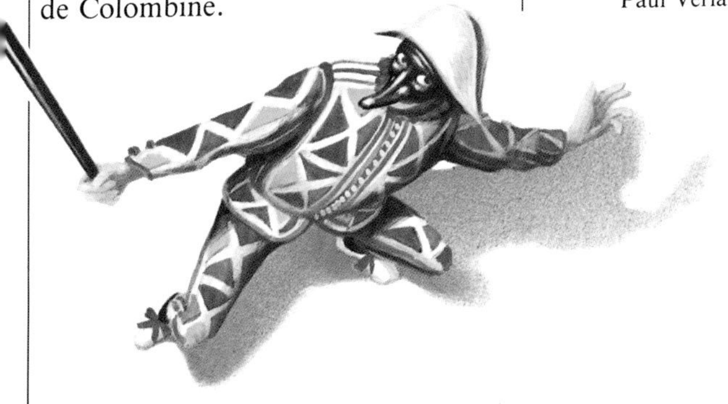

A

arquebuse (nom féminin)

Espèce de fusil en usage au XVIe siècle. Il fallait pour tirer, poser l'arquebuse sur une fourche fichée en terre et allumer une mèche.

Un mot d'enfant :

L'arquebuse, c'est l'arc pour tirer les buses !

F. 6 ans

asphodèle (nom féminin)

Plante à belles fleurs blanches.

Un frais parfum sortait des touffes
d'asphodèles
Les souffles de la nuit flottaient sur
Galgala.

Victor Hugo

aspic (nom masculin)

Petit serpent très venimeux. On donne parfois ce nom à la vipère commune.

Il ont du venin comme un venin de serpent, sourds comme l'aspic qui se bouche les oreilles, de peur d'entendre la voix des enchanteurs...

La Bible

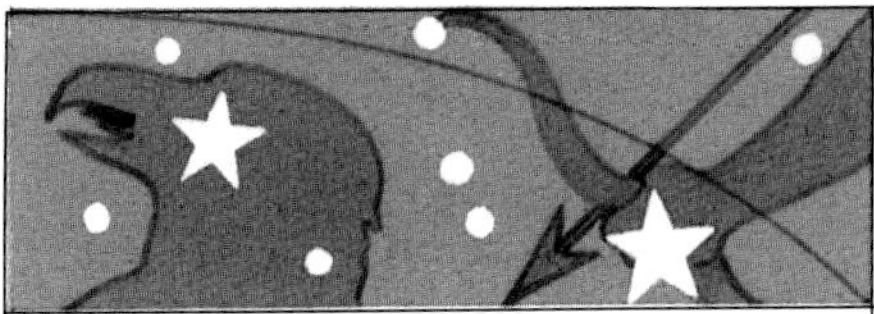

A

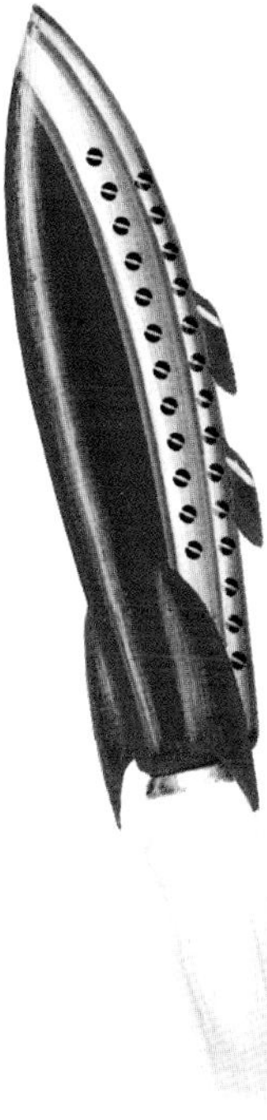

astre (nom masculin)

Certains astres : les étoiles, le soleil, sont lumineux par eux-mêmes. D'autres astres : les planètes, la Lune, la Terre, empruntent leur clarté au soleil.

L'astronomie est l'étude de lois scientifiques qui régissent les mouvements des astres. L'astrologie cherche à étudier les influences que les astres auraient sur la vie humaine.

astronef (nom masculin)

Un navire pour aller dans les astres. On dit encore, un vaisseau spatial.

astuce (nom féminin)

Habileté, roublardise, ruse.

Faire des astuces, c'est faire des jeux de mots.

atoll (nom masculin)

Ile de corail en forme d'anneau. Cet anneau entoure une étendue d'eau tranquille, le lagon.

A

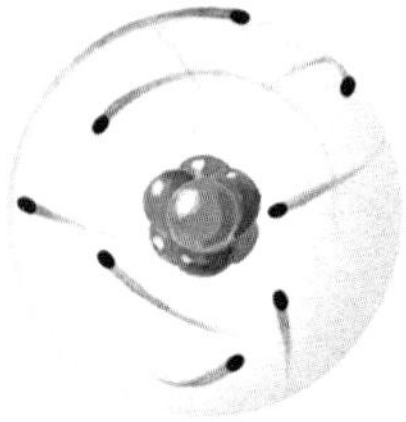

atome (nom masculin)

Les anciens disaient que l'atome était la plus petite particule de matière.

Pour les physiciens modernes, l'atome est tout autre chose, de très complexe : une particule infiniment petite, et indivisible, constituée comme une sorte de monde en miniature avec un noyau et des électrons qui dansent autour.

L'énergie nucléaire à partir de laquelle les hommes fabriquent de la chaleur, de l'électricité, des bombes, est produite par la rupture des atomes.

Il faut se méfier des ingénieurs, ça commence par la machine à coudre, ça finit par la bombe atomique.

Marcel Pagnol

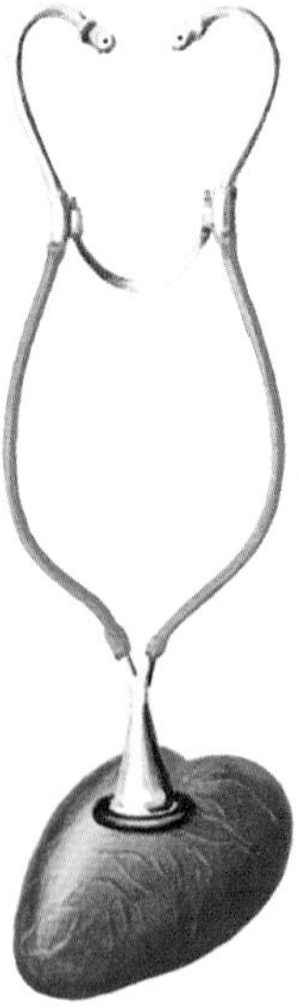

ausculter (verbe)

Ausculter une personne c'est pour un médecin écouter ce que racontent, le cœur, les poumons, etc. de cette personne. Mais le mécanicien peut, lui, ausculter un moteur.

Monsieur le Docteur
Auscultez mon cœur
Je ne sais sur l'heure
S'il bat le malheur
S'il bat le bonheur
Monsieur le Docteur
Auscultez mon cœur.

G. Jean

A

auto (nom féminin)

Raccourci ou abréviation de «automobile». Et vous savez sans doute que «auto» signifie «par soi-même».

Ainsi une automobile marche toute seule (ou presque), un auto-collant se colle de lui-même, un automate se meut tout seul (quand on le remonte ou qu'on lui donne du courant.)

Mais l'auto-radio ne marche pas tout seul ! L'autoroute non plus !

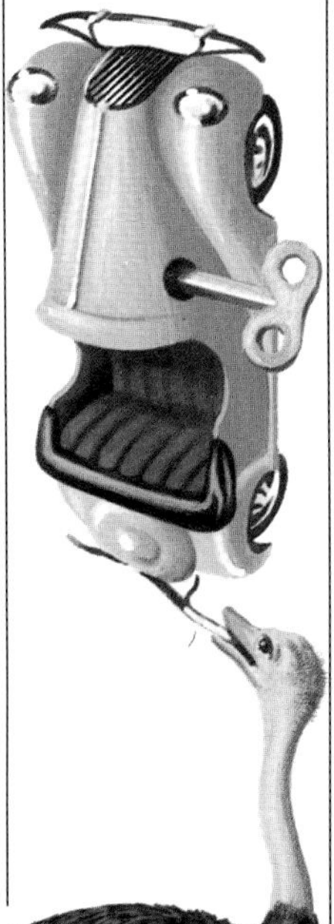

autruche (nom féminin)

Gros oiseau qui court très vite, ne vole pas, mange du fer, des cailloux, n'importe quoi, (d'où l'expression «un estomac d'autruche»), fabrique des plumes pour les dames (des trucs en plumes) et cache sa tête dans le sable en croyant se cacher tout entier.

N'importe quel imbécile peut fermer l'œil, mais qui sait ce que voit l'autruche dans le sable ?

Samuel Beckett

A

avalanche (nom féminin)

Une avalanche se produit quand une masse de neige se détache d'une pente de montagne, le plus souvent sous l'effet d'un réchauffement.

Quand la pente est rapide, l'avalanche a lieu avec une impétuosité effrayante ; elle entraîne des matériaux, pierres, blocs de rochers, dont la pesanteur accélère encore sa vitesse et sa puissance qui deviennent alors irrésistibles et portent le ravage et la ruine dans les vallées.

Larousse

aviron (nom masculin)

Ce qui sert «à virer», pour un bateau ; ce qui sert également à avancer !

Les vrais marins préfèrent le mot aviron au mot rame.

C'est l'aviron, qui nous mène,
qui nous mène,
C'est l'aviron qui nous mène en rond.

Chanson populaire

azimut (nom masculin)

S'emploie souvent au pluriel.

Familièrement, «aller dans tous les azimuts», c'est aller dans toutes les directions.

Montons sur la butte
Faisons des culbutes
A tous azimuts
Et dans notre hutte
Jouons de la flûte
A tous azimuts
Et nous crions «zut» !
A tous azimuts
Si l'on nous dispute...

G. Jean

Quand boit un boa
Au milieu du bois
Les autres boas
S'exclament : «boah» !

G. Jean

B

baba (nom masculin)

Gâteau arrosé de rhum.

«En rester baba» ne signifie pas se faire arroser de rhum, mais être épaté, ahuri.

bâbord (nom masculin)

Dans les vieux bateaux, le pilote se tenait, le dos à la gauche. «Bâbord» est issu d'un mot néerlandais qui signifie «bord du dos», c'est-à-dire la gauche du bateau, dans le sens de la marche.

Etre à la droite du bateau, c'est être à «tribord», qui signifie «côté du gouvernail».

Gouverner «babord amures» en termes de marine à voile, c'est gouverner avec le vent soufflant de la gauche. Comme dans la chanson :

Il est parti de Lorient
Avec mer bell' et bon vent
Il cinglait bâbord amures,
Naviguant comme un poisson.
Un grain tomb' sur sa mâture
V'la le corsaire en ponton...

Chanson populaire

B

badaud (nom masculin)

Mot qui signifie «qui a la bouche ouverte». D'où le sens de «personnage ahuri qui n'a rien d'autre à faire que d'attendre que les mouches lui tombent dans la bouche» !

Ou encore «promeneur qui n'a rien d'autre à faire que de badauder».

On dirait que kékchose se passe
En fait il ne se passe rien
Un autobus écrase un chien
Des badauds se délassent
Il va pleuvoir
Tiens tiens.

Raymond Queneau

badiane (nom féminin)

Autrement dit «anis étoilé». Plante d'origine persane à partir de laquelle on fait des infusions, des bonbons, le pastis et l'anisette.

bafouiller (verbe)

Parler sans se faire comprendre, sous l'effet de la timidité ou de la peur.

balafre (nom féminin)

Traces d'une plaie. Cicatrice au visage.

Le duc de Guise, que fit assassiner Henri III au Château de Blois était surnommé le «balafré», car il portait une balafre au visage.

B

balançoire (nom féminin)

La vraie balançoire serait la pièce de bois ou de métal reposant sur un point d'appui, et sur laquelle on se balance en s'asseyant à chaque extrémité. Car c'est cette balançoire-là qui ressemble le plus à une balance.

Mais on dit également que la planche fixée par deux cordes à une branche ou à un portique et sur laquelle on va et vient est également une balançoire. Ou encore une escarpolette !

Une demoiselle sur une balançoire
Se balançait à la fête un dimanche,
Elle était belle et l'on pouvait voir,
Ses jambes blanches sous son jupon noir.

Mireille et Jean Nohain

baleine

B

Mammifère vivant dans les mers. Le plus grand des animaux actuels. Une baleine peut atteindre jusqu'à 25 mètres et peser jusqu'à 150.000 kg.

Dans l'ancien temps on utilisait les fanons, espèces de dents longues, plates et flexibles des baleines pour faire des parapluies. Une baleine de parapluie, disait-on.

«Rire comme une baleine» c'est rire en ouvrant une large bouche et en montrant ses dents comme une baleine qui découvre ses fanons.

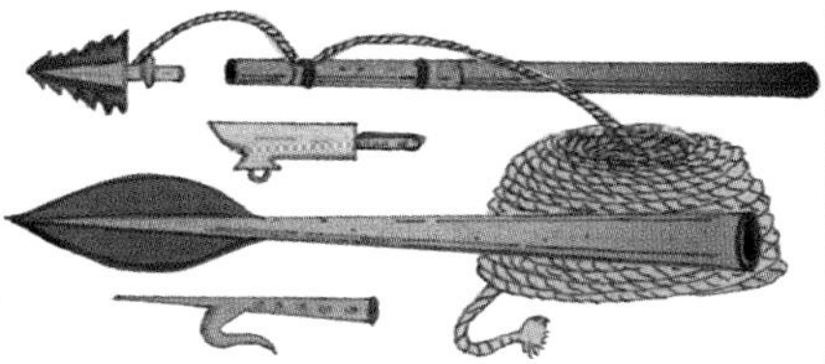

A la pêche à la baleine, à la pêche à la baleine,
Disait le père d'une voix courroucée
A son fils Prosper, sous l'armoire allongé,
A la pêche à la baleine, à la pêche à la baleine,
Tu ne veux pas y aller ?
Et pourquoi donc que j'irais pêcher une bête
Qui ne m'a rien fait papa,
Va la pépé, va la pêcher toi-même
Puisque ça te plaît,
J'aime mieux rester à la maison avec ma pauvre mère
Et le cousin Gaston...

J. Prévert

B

ballet (nom masculin)

Le verbe «baller» signifiait danser. Un ballet est un spectacle de danse.

Un air de ballet est un air de musique composé pour un ballet : le ballet de Faust, le ballet du Sacre du printemps.

Mais on dit parfois : le ballet des libellules sur l'étang. Le ballet des hirondelles dans le ciel d'été. Que signifie alors le mot «ballet» ?

balsa (nom masculin)

Arbre d'Amérique centrale dont le bois est très léger. Certains d'entre vous connaissent bien ce bois ; car on s'en sert pour construire des maquettes d'avions et des radeaux comme le fameux Kon Tiki.

balsamine (nom féminin)

La balsamine est une plante à fleurs originaire de l'Inde. Ses fruits ont la particularité d'éclater dès qu'on les touche. Pour cette raison cette plante est parfois appelée «l'impatiente».

Connais-tu donc la balsamine ?
L'été, au soleil du jardin
Sous les doigts des petits enfants,
Les petits grains dans tous les coins,
Sautent pour voler dans le vent.
Connais-tu donc la balsamine ?

G. Jean

B

baobab (nom masculin)

Le tronc de cet arbre des régions tropicales peut atteindre jusqu'à 20 m de circonférence. On le rencontre souvent seul au milieu de la brousse.

Cet arbre là-bas
Splendidement seul au milieu des fleurs
blanches et fanées,
C'est l'Afrique ton Afrique qui repousse
Qui repousse patiemment, obstinément
Et dont les fruits ont peu à peu
L'amère saveur de la liberté.

David Diop

baragouin (nom masculin)

Ce mot proviendrait des mots bretons «bara» : pain, et «gwen» : vin. Le baragouin est une manière de parler en mangeant et en buvant. Baragouiner, c'est donc parler un langage incompréhensible.

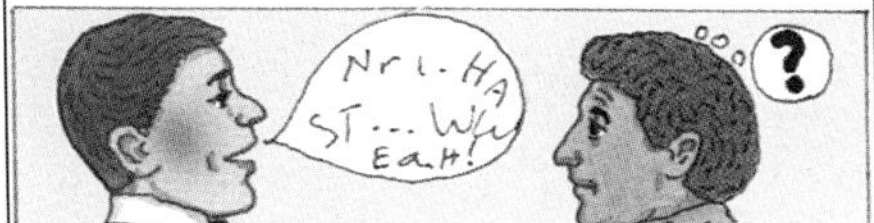

baratin (nom masculin)

Le baratin, ce sont les paroles abondantes qui racontent des histoires pour tromper et «en mettre plein la vue».

Le baratineur est celui qui a du baratin.

B

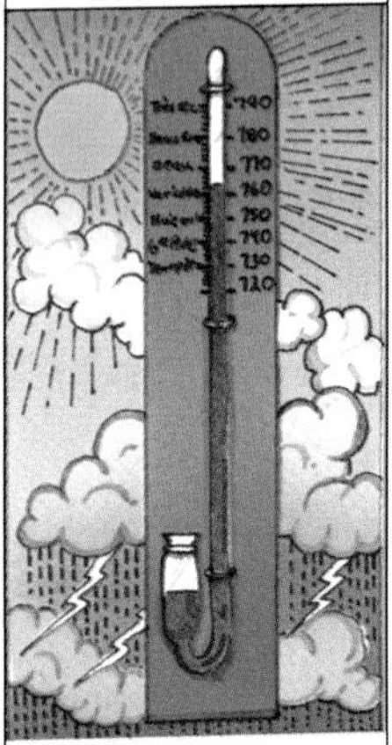

baromètre (nom masculin)

Appareil qui sert à mesurer la pression atmosphérique et à prévoir le temps.

Mais que signifient donc les expressions : «mon baromètre monte», «mon baromètre descend» ?

Mon baromètre à grenouille
Me dit : «Temps sec» ou «ça mouille»,
Selon que sur son échelle
Ma grenouille toute belle
Monte vers le paradis
Ou vers l'enfer se blottit.

G.Jean

barouf (nom masculin)

Ce mot, en italien, signifie «bagarre».

En français, du «barouf» c'est un grand bruit formé surtout de cris, de paroles, de querelles...

basilic (nom masculin)

Ce mot a trois sens :

D'abord le basilic était un serpent fabuleux dont le regard avait, disait-on la faculté de tuer. On disait que le basilic était sorti d'un œuf de coq (sic) cassé par un crapaud et l'on croyait qu'il se tuait lui-même quand il se regardait dans une glace. (Larousse).

Le basilic est un très grand lézard (60 centimètres de long) avec une crête sur le dos. Il vit en Amérique centrale.

Enfin le basilic est une plante aromatique de Provence avec laquelle on prépare la fameuse soupe au pistou.

B

basilique (nom féminin)

Chez les Romains une basilique était un édifice de forme rectangulaire dans laquelle se réunissaient les gens pour bavarder, faire du commerce, tenir des réunions politiques, etc.

Puis on a appelé «basilique» l'église construite de la même façon que cet édifice.

A (elle) voyait dans les nuits d'gelée
La nappe étoilée
Et la lune en croissant
Qui brillait, blanche et fatidique
Sur la p'tit croix d'la Basilique
Ru'Saint Vincent.

Aristide Bruant

bastingage (nom masculin)

La «bastingue» était une grosse toile dont on garnissait le pourtour des navires pour les garantir des projectiles ennemis.

On a par la suite appelé «bastingage» tout ce qui protégeait les ponts des navires. Puis les balustrades faisant le tour d'un bateau.

On tangue on tangue sur le bateau
La lune la lune fait des cercles dans l'eau
Dans le ciel c'est le mât qui fait des cercles
Et désigne toutes les étoiles du doigt

Une jeune Argentine accoudée au bastingage
Rêve à Paris en contemplant les phares
qui dessinent les côtes de France...

Blaise Cendrars

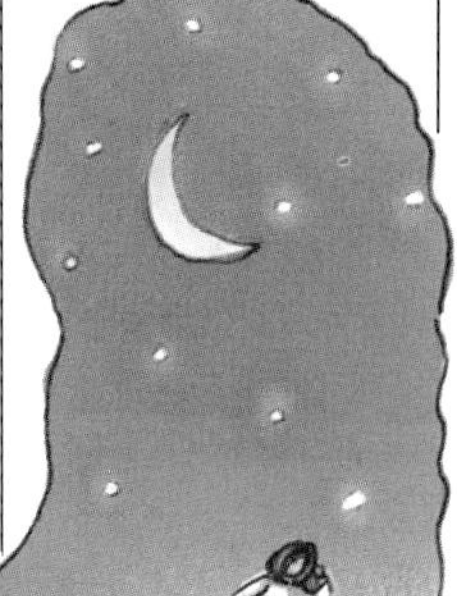

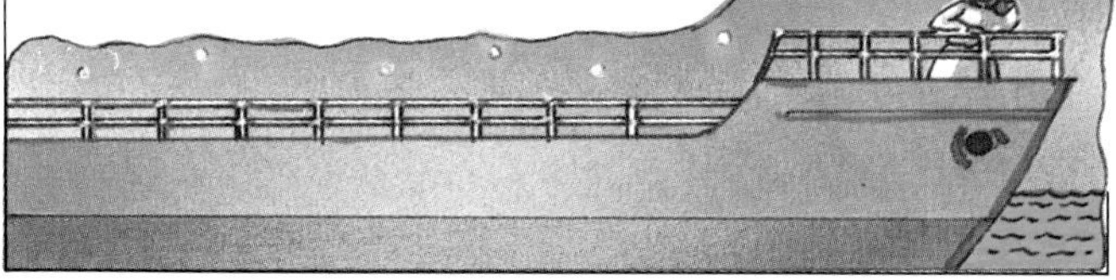

B

batterie (nom féminin)

Ensemble des instruments de percussion dans un orchestre de jazz. Dans un certain sens, le batteur donne l'impression de se battre contre ses tambours, cymbales, grosse caisse, etc.

Plusieurs canons constituent une batterie.

Plusieurs générateurs d'électricité constituent une batterie : la batterie de ma voiture est à plat.

Les ustensiles de métal servant à faire la cuisine forment la batterie de cuisine.

baudruche (nom féminin)

Fine peau, prélevée dans l'intestin du bœuf ou du mouton et que l'on peut gonfler.

Ballon de caoutchouc très fin.

Jouet en forme d'animal et que l'on gonfle.

On dit d'une personne qui en impose mais dont l'intérieur n'est que vide, que c'est une «vraie baudruche».

baume (nom masculin)

Espèce de menthe sauvage.

Le mot désigne plus généralement les crèmes, onguents, liniments dont on se sert pour calmer les douleurs.

Apaiser une douleur, un chagrin, consoler quelqu'un c'est «lui mettre un peu de baume au cœur».

B

benjamin (nom masculin)

Provient du nom propre Benjamin qui était, dans la Bible, le plus jeune des fils de Jacob et son préféré.

Dans une famille, le benjamin est le plus jeune des enfants et de ce fait souvent le préféré, le chouchou, le petit dernier.

Benjamin
Mon câlin
Benjamine
Ma câline
Le sommeil
Mes abeilles
Va fermer
Vos paupières
Vous ouvrir
Aux merveilles
Sans pareilles
De la nuit
Mes petits
Benjamins.

G. Jean

bergamote (nom féminin)

Fruit de l'espèce des oranges et des citrons et qui donne un parfum fin, pénétrant : l'essence de bergamote.

Se dit également d'une espèce de poires : les poires bergamote. Le mot «bergamote» provient d'ailleurs d'un mot turc qui signifie «poire du Seigneur».

bergeronnette (nom féminin)

Petit oiseau passereau qui vit dans les champs, les prairies et suit les bergères et les bergers, d'où son nom. Sa longue queue qu'elle balance d'une manière très caractéristique a parfois fait surnommer la bergeronnette «hoche-queue».

B

bicyclette (nom féminin)

La première bicyclette, le saviez-vous, date de 1690. Cet engin appelé «célérifère», avançait lorsqu'on le poussait avec l'un et l'autre pied. En 1819 cette machine réapparut sous le nom de «draisienne». «Assis sur la traverse réunissant les deux roues et qui représentait le corps d'un cheval, d'un cerf, ou d'un monstre bizarre, l'utilisateur de cet appareil le poussait alternativement avec les deux pieds, et il atteignait, disent les auteurs du temps, des vitesses considérables.» (Larousse).

En 1855, le français F. Michaux munit la roue avant de pédales. Puis la roue avant s'agrandit démesurément et ce fut le «grand bicycle» ou «grand bi», ou «araignée». Sur les bonnes promenades autour de Paris un sportif moyen pouvait atteindre vers 1870 la vitesse de 15 km/heure !

C'est vers 1880 que les diamètres des deux roues devinrent semblables et que la roue arrière devint motrice par l'intermédiaire d'une chaîne.

La suite vous la connaissez ! La bicyclette est devenu le «vélo».

bigorner (verbe)

C'est battre le fer rouge sur une enclume à deux cornes ou «bigorne».

Se faire bigorner c'est se faire battre.

B

bissextile (adjectif)

Se dit de l'année qui compte un jour supplémentaire en février, soit 366 jours. Et cela se produit toutes les quatre années. 1980 était une année bissextile, 1984 le sera.

blue jean (nom masculin)

Littéralement en anglais «treillis bleu». Ce sont des pantalons de toile bleue, autant que possible d'un bleu délavé, qui ont fait fureur aux Etats-Unis et que tout le monde porte, partout.

Le mot se prononce, selon Zazie et son père Raymond Queneau «bloudjinnzes» :

– *Ya aussi des surplus américains ?*
– *Bien sûr. Et aussi des marchands de frites. Des bonnes. Faites dans la matinée.*
– *C'est chouette les surplus américains !*
– *Si on veut. Ya même des moules. Des bonnes. Qui n'empoisonnent pas.*
– *Izont des bloudjinnzes, leurs surplus américains ?*

Raymond Queneau

bof ! (interjection)

Exprime depuis peu que l'on n'a rien d'autre à dire et que l'on y croit sans y croire...

B

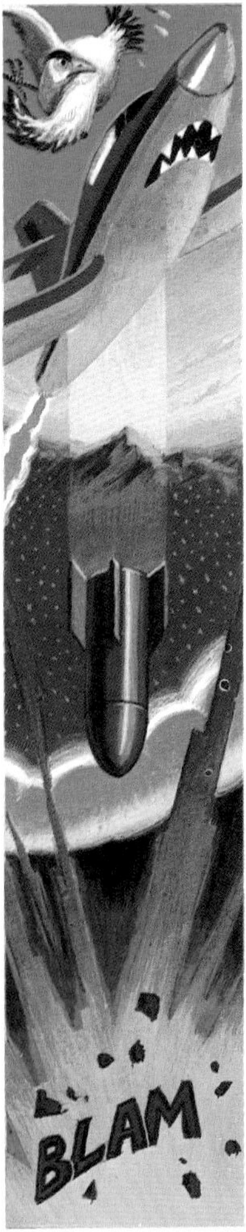

bolide (nom masculin)

Vient d'un mot grec qui signifiait «éclair».
Un bolide est une voiture qui peut atteindre une grande vitesse : on parle des bolides des 24 heures du Mans.

bombe (nom féminin)

En latin «bombus» signifie «bruit sourd».

De nos jours, il existe de multiples sortes de bombes. Les bombes à tuer : explosives, incendiaires, à retardement, atomiques, à neutrons, etc. Les bombes à guérir : au cobalt. Les bombes utiles : insecticides, et puis les bombes volcaniques, les bombes glacées, etc.

Mon oncl' un fameux bricoleur
Faisait en amateur
Des bombes atomiques
Sans avoir jamais rien appris
C'était un vrai génie
Question travaux pratiques...

Boris Vian

boucan (nom masculin)

«Grand bruit, tapage, chahut, vacarme, tintamare». On dit «faire du boucan», «faire un boucan de tous les diables».

Ou encore «viande fumée» : les boucaniers étaient les chasseurs de bisons d'Amérique du Nord qui fumaient, «boucanaient», et vendaient la viande des animaux qu'ils tuaient.

B

bouffe (nom féminin)

Familièrement, la nourriture. Mot qui vient du verbe «bouffer» signifiant «augmenter de volume» : des cheveux qui bouffent. Et quand on mange beaucoup… on gonfle !

En attendant la bouffe on ne dit rien. Le type fume paisiblement. Les moules servies, Zazie se jette dessus, plonge dans la sauce, pataugé dans le jus, s'en barbouille.

Raymond Queneau

bouleau (nom masculin)

Arbre qui pousse surtout dans les pays froids, caractérisé par son écorce blanche et argentée et ses petites feuilles qui parlent au vent.

Et enfin, la capitale des bouleaux – ce qui là-bas éblouit comme un coup de phare – c'est autour de l'étang de Roumande qu'elle se trouve avec ses dômes, ses terrasses, ses tours dorées, ses rues, ses ruelles, ses boulevards, ses colonnes couvertes en peau de cheval pie, ses écorces soignées, poncées, poudrées, fardées, fines comme de la soie, ses balancements de palmes, ses déhanchements de jeunesse qui danse, ce bruissement de milliers de jupes de faille, son papillonnement de lumière.

Jean Giono

B

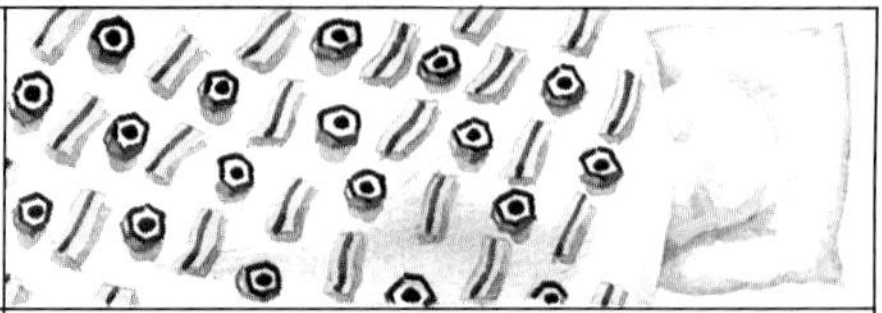

boulot (nom masculin)

En langage familier, le travail de tous les jours.

L'expression «métro, boulot, dodo», inventée par le poète Pierre Béarn a eu après les événements de Mai 1968 beaucoup de succès.

bouquin (nom masculin)

En langage familier, « livre, vieux livre ». «Bouquiner» c'est lire un livre, car on ne bouquine pas un journal.

bourdon (nom masculin)

Insecte voisin de la guêpe, velu et de couleurs variées. Dans mon enfance les paysans distinguaient selon la couleur de leur abdomen les bourdons «culs-blancs», «culs-rouges», «culs-jaunes».

Désigne également la «voix» la plus grave de certains instruments comme l'orgue.

boussole (nom féminin)

Provient d'un mot italien qui signifie «petite boîte». L'aiguille aimantée qui se trouve dans la «petite boîte» de la boussole indique la direction du Nord.

Quand on «perd la boussole» on perd la tête !

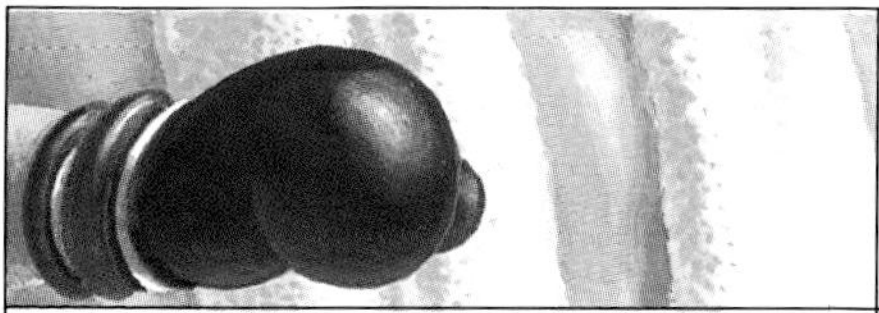

B

boxe (nom féminin)

Le mot anglais «box» signifie «coup».

La boxe est un sport dans lequel les adversaires se portent des coups. Rien que des coups de poings dans la boxe anglaise, art noble. Des coups de poings et de pieds dans la boxe française ou «savate».

Les boxeurs sont déjà au travail ; chaque coup placé est ressenti sur tous les bancs du cirque et fait mal en même temps à cinquante mille personnes.

Paul Morand

braconnier (nom masculin)

Dans l'ancien temps, le «braconnier» était le dresseur de chiens de chasse (des braques).

Aujourd'hui le braconnier est celui qui chasse (ou qui pêche) sans permis, en période de fermeture, ou en territoire ou avec des engins (des collets, par exemple) interdits. Maurice Genevoix a raconté la très belle histoire du braconnier Raboliot.

brailler (verbe)

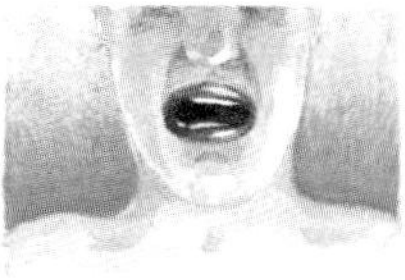

Ce mot a la même origine que «braire» (l'âne brait).

Brailler, c'est parler très fort, parler en pleurant, crier, hurler, vociférer, etc.

B

break (nom masculin)

Mot anglais utilisé en français.

Soit pour désigner une automobile dans laquelle existe une partie arrière importante pour les bagages.

Soit pour désigner l'interruption au cours de laquelle le soliste d'un orchestre de jazz improvise.

Soit pour désigner le moment où l'arbitre d'un match de boxe sépare deux boxeurs dans un corps à corps.

breakfast (nom masculin)

Mot anglais dont on se sert pour désigner le petit déjeuner «à l'anglaise», c'est-à-dire copieux, avec des jus de fruits, des confitures, des œufs au bacon, etc.

brigand (nom masculin)

Soldats qui allaient en troupe et qui se transformaient parfois en voleurs, bandits de grand chemin.

Nous étions vingt ou trente
Brigands dans une bande
Tout habillés de blanc
A la mode
Vous m'entendez
Tout habillés de blanc
A la mod' des marchands.

La Complainte de Mandrin

brontosaure (nom masculin)

Ou «lézard du tonnerre». Reptile préhistorique. Cet animal devait mesurer dans les 22 mètres de long et peser au moins 30 tonnes. Il avait une très petite tête, suivie d'un long cou flexible et d'une lourde queue.

Dans les prairies préhistoriques
Les grands brontosaures héroïques
Avaient l'air bien mélancoliques
Quand ils consommaient les colchiques
Qui leur donneraient des coliques
Dans les prairies préhistoriques.

G. Jean

brousse (nom féminin)

De «broussaille». Végétation de buissons et d'arbustes de certaines régions tropicales qui constituent la brousse.

Le mot «cambrousse» pour campagne est formé de «camp» et de «brousse».

B

bruant (nom masculin)

Petit oiseau «bruyant», d'où son nom. Parmi les bruants : l'ortolan, dont on fait un mets délectable.

brûlot (nom masculin)

Ce mot possède plusieurs sens, même s'il brûle toujours.

C'est un petit bateau que l'on envoyait en flammes pour incendier les vaisseaux ennemis.

C'est un projectile enflammé.

Un petit feu de branchages.

De l'eau de vie qui brûle avec un sucre !

Dès que l'allumette touchait la pointe du sucre la flamme bleue descendait sur l'alcool étendu. Ma mère éteignait la suspension. C'était l'heure du mystère et de la fête un peu grave.

Gaston Bachelard

business

En anglais «affaires». En français, les affaires. Un drôle de travail ou un drôle de business.

butor (nom masculin)

Espèce de héron dont le cri rappelle celui du taureau !

Individu grossier : «espèce de butor » ou encore : malotru, malappris, grossier personnage.

Hardi les gars, vire au guindeau
Good bye farewell, good bye farewell
Hardi les gars, Adieu Bordeaux
Hourrah ! oh ! Mexico
Ho, ho, ho,
Au cap Horn il ne fera pas chaud,
Houe, away, hé,
Oula tchalez
A fair' la pêche au cachalot
Hal, matelot
Hé, ho, hisse et ho !

Chanson à hisser

C

cabriole (nom féminin)

Signifie «saut de cabri».

Faire une cabriole c'est sauter «comme un cabri», «cul par-dessus tête », pour le plaisir. On peut dire aussi : «culbute», «galipette».

Sur la route de l'école
Nous avons vu trois cabris
Cabri-cabriole
Qui jouaient à cabri-vole
Cabrioles de cabris,
Hi !

G.Jean

cachalot (nom masculin)

Signifie en espagnol «poisson à grosse tête».

Le cachalot est un animal marin de la famille des baleines, mais il est carnivore et se signale en effet par une très grosse tête.

cache-tampon (jouer à) (verbe)

On dit aussi «jeu de cache-mouchoir».

Il s'agit de cacher un objet et les joueurs ont à le découvrir. Selon que l'on s'approche ou que l'on s'éloigne de l'objet caché, celui «qui sait» dit : «tu chauffes, tu brûles, tu refroidis, etc.»

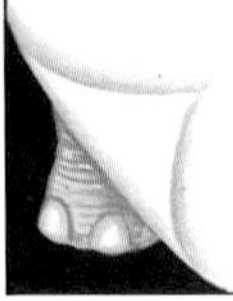

C

cafter (verbe)

Cafarder, dénoncer, moucharder, rapporter.

Un «cafteur», en argot scolaire, est celui qui «moucharde» un copain.

cagibi (nom masculin)

Proviendrait du mot «cabas» : «panier d'osier».

Un cagibi est une petite pièce obscure, un réduit, un débarras.

Dans le cagibi
J'ai mis mon fourbi
J'ai mis mes outils,
Mes rêves aussi
Dans le cagibi
Car le jour aussi
C'est encore la nuit
Dans le cagibi.

G. Jean

cagnotte (nom féminin)

D'un vieux mot provençal signifiant «petite boîte».

Caisse ou tirelire dans laquelle des joueurs mettent de l'argent au fur et à mesure des parties. Dépenser la cagnotte, c'est dépenser la somme (ou de l'argent en général) qui est «de côté».

C

caïd (nom masculin)

Mot arabe qui désigne à la fois un juge, un chef de guerre, un percepteur.

Dans l'argot, un caïd est le chef des bandits. «Faire son caïd» c'est faire l'important.

caille (nom féminin)

Petit oiseau migrateur des champs et des prairies. Est délicieux à manger «sur canapé». On appelle quelqu'un qu'on aime bien «ma petite caille».

Avant que tu ne t'en ailles,
Pâle étoile du matin,
Mille cailles
Chantent, chantent dans le thym...

Paul Verlaine

La calebasse
où elle dépose
mon repas
Est douce et polie
tel un bois de santal

Aquah Caluah

calebasse (nom féminin)

Espèce de courge, fruit du calebassier. La calebasse vidée et séchée sert de récipient, en Afrique noire principalement.

calendrier (nom masculin)

Vous connaissez tous le sens du mot «calendrier». Mais savez-vous que ce mot provient du mot latin «calendarium» qui signifiait «livre des dettes», car on payait ses dettes aux «calendes» c'est-à-dire le premier jour de chaque mois. Puis le mot a pris le sens que vous connaissez.

«Agenda, almanach, éphéméride», sont des mots synonymes de calendrier.

C

calice (nom masculin)

D'un mot latin signifiant «coupe».

Un calice est un vase et particulièrement le vase dans lequel le prêtre verse et boit le vin de messe.

Le calice d'une fleur est constitué par l'ensemble des petites feuilles vertes ou «sépales» qui forment une coupe autour des pétales.

califourchon (à) (locution)

D'un vieux mot «à califourché», c'est-à-dire à «fourches ouvertes», «à jambes écartées». D'où le sens actuel de l'expression «sauter à califourchon».

caméléon (nom masculin)

Provient d'un mot grec qui signifie «lion qui se traîne à terre». Ce «lion» est un lézard qui projette une longue langue pour saisir ses proies et qui a la propriété de prendre la couleur de l'endroit où il se trouve.

Pour les Dogons, habitant l'Afrique, le caméléon «ayant reçu toutes les couleurs, est la figure de l'arc-en-ciel, chemin du ciel et de la terre».

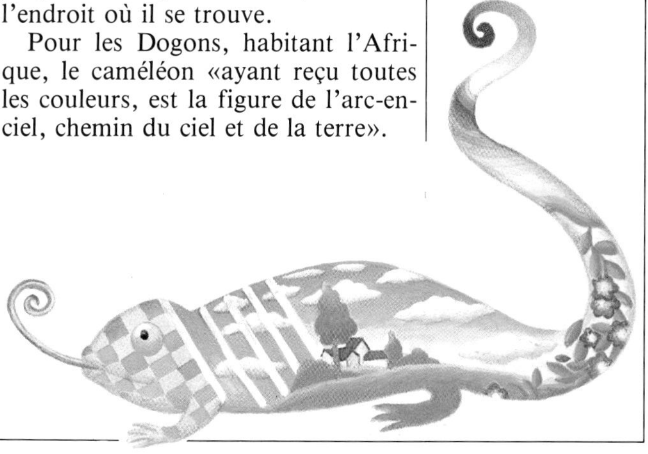

C

caméra (nom féminin)

Du latin «camera» : «chambre».

«Petite chambre noire» dans laquelle s'inscrivent les images qui deviendront cinéma ou télévision.

Le «caméraman» est le monsieur qui manipule une caméra. On dit encore à la télévision un «cadreur».

canadair (nom masculin)

Avion spécial utilisé contre les incendies de forêts. Il pompe l'eau dans la mer ou un lac et la déverse sur les foyers. Il porte ce nom car c'est au Canada, pays d'immenses forêts, qu'il a d'abord été fabriqué et utilisé.

canicule (nom féminin)

D'un mot latin signifiant «petite chienne».

La «petite chienne» est le nom donné à l'étoile «Sirius» qui appartient à la constellation du «Grand Chien», visible en juin, période où la chaleur est la plus forte. Cette période est pour cela appelée «canicule».

Plus généralement on nomme une forte chaleur «canicule».

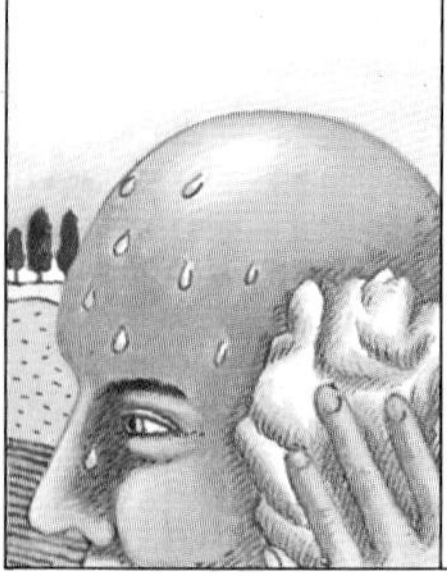

L'ardeur de la canicule
Ton vert rivage ne brûle,
Tellement en toute part
Ton ombre est épaisse et drue...

Pierre deRonsard

C

cape (nom féminin)

Manteau sans manche et couvrant les épaules que portaient certains soldats dont les «mousquetaires». D'où l'expression «les romans de cape et d'épée».

Elément indispensable du vêtement de «Zorro», «Superman», etc.

carapater (se) (verbe)

Verbe formé de «se carrer», c'est-à-dire en argot «se cacher», et de «patte». Se carapater c'est se sauver pour se cacher.

On dit encore: «s'enfuir, se tirer, se débiner, se tirer des pattes, se barrer, se cavaler, décamper, mettre les bouts»...

caravane (nom féminin)

Pour traverser les déserts arides les hommes se groupaient et, sur des chameaux, des éléphants, des automobiles ils partaient et partent encore... en caravanes.

Aujourd'hui une caravane c'est également la petite maison roulante que l'on traîne derrière sa voiture.

La vie passe,
rapide caravane !
Arrête ta monture et
cherche à être heureux.

Omar Khayam

C

...Ou, penchés
à l'avant
des blanches
caravelles,
Ils regardaient
monter
en un ciel ignoré
Du fond de l'Océan
des étoiles nouvelles.
José Maria de Hérédia

caravelle (nom féminin)

Navire à voile des XVe et XVIe siècles, rapide et de faible tonnage.

Nom donné par analogie à un avion de transport français «moyen courrier ».

cargo (nom masculin)

De l'anglais «cargo boat» : «bateau de charge».

Navire qui ne sert qu'au transport des marchandises. Un avion-cargo est un avion qui transporte également des marchandises.

caricature (nom féminin)

A pour origine un mot italien qui signifie «charger», c'est-à-dire exagérer.

Une caricature est un dessin dans lequel on exagère certains aspects de la personne que l'on dessine.

carpe (nom féminin)

Poisson d'eau douce dont on disait qu'il pouvait vivre cent ans !

Dans vos viviers dans vos étangs
Carpes que vous vivez longtemps
Est-ce que la mort vous oublie
Poissons de la mélancolie.

Guillaume Apollinaire

C

carrosserie (nom féminin)

Le carrosse était une voiture «de luxe» à chevaux et surtout utilisée par les grands de ce monde.

Une carrosserie de nos jours est la «caisse» des automobiles.

cartouche (nom féminin ou masculin)

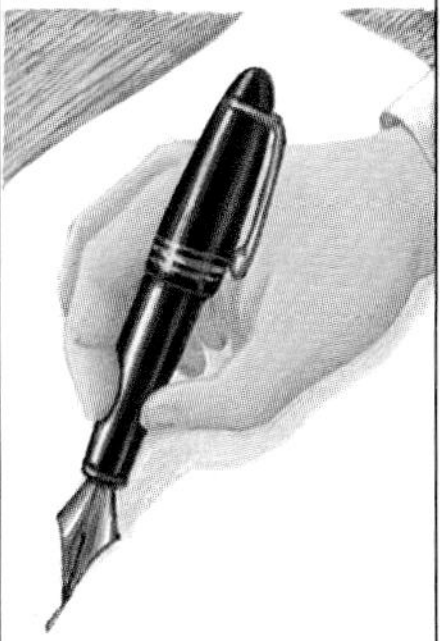

Le mot cartouche signifie en italien «petit cornet de papier». C'est le petit cornet de papier, de carton, de métal ou de matière plastique qui contient la poudre, ou l'encre dans les «cartouches» de vos stylos !

Ce mot est parfois au masculin. Il désigne alors un espace (sur un monument, dans les bandes dessinées) où l'on place une inscription, un texte.

case (nom féminin)

Compartiment d'une boîte, d'un tiroir, carré d'un damier, d'un échiquier. Par ailleurs la «case» est une habitation simple, chez les Africains.

C'était dans mon enfance...
A travers les toits de chaume des cases filtrait la légère fumée des feux de bois pour les causeries coutumières du soir...

Keita Fodeba

C

casque (nom masculin)

Ce mot a signifié «tesson», puis «crâne», avant de désigner la coiffure «en dur» du soldat, du pilote de formule 1, du motocycliste, du pompier. Et vous savez certainement en quoi consiste un «casque intégral».

Le mot casque désigne également par analogie l'appareil que l'on utilise pour écouter des disques, des cassettes, la radio, et pour sécher les cheveux des dames.

castagnettes (nom féminin)

Employé le plus souvent au pluriel.

Mot d'origine espagnole qui signifiait «petites châtaignes».

Cet instrument est composé de deux petites plaquettes creuses que l'on fait claquer l'une contre l'autre pour accompagner une danse.

catamaran (nom masculin)

Signifie littéralement «lien de bois».

Un catamaran est un voilier à deux coques qui va très vite. Et savez-vous ce qu'est un trimaran ?

catapulte (nom féminin)

Engin qui servait dans l'Antiquité et au Moyen Age à lancer des projectiles par-dessus les murs des villes assiégées.

Dispositif qui permet de lancer les avions pour les faire décoller d'une petite surface, le pont d'un porte-avions par exemple.

catastrophe (nom féminin)

D'un mot grec qui signifie «renversement». Une catastrophe, c'est un ou une série d'événements inattendus, violents, provoquant la peur, la panique, la mort : un tremblement de terre, une inondation, un grand incendie... On dit aussi «cataclysme».

catch (nom masculin)

Abréviation de l'expression anglaise «catch as catch can» : «attrape comme tu peux». Dans cette forme de lutte tous les coups sont permis.

caténaire (nom masculin)

Provient du mot latin «chaîne».

Le caténaire est le système maintenant le câble qui alimente en courant les motrices des trains électriques et maintient ce câble à une distance constante du sol.

C

«Le catch véritable tient son originalité de tous les excès qui en font un spectacle, non un sport».

Roland Barthes

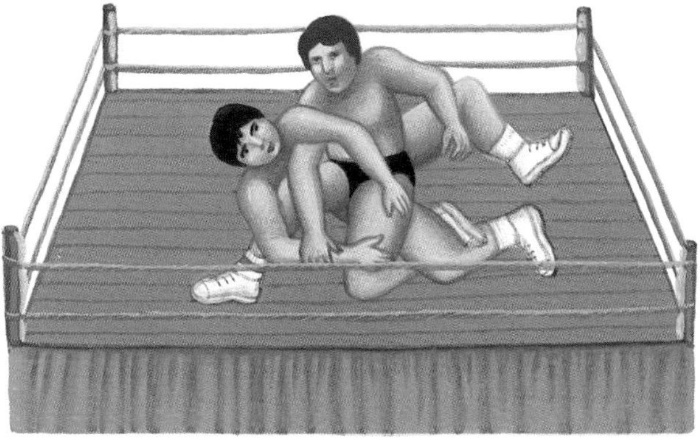

C

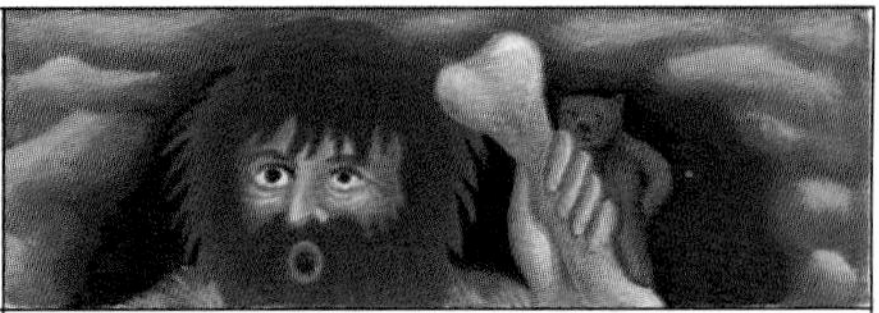

caverne (nom féminin)

Littéralement «creux», cavité creusée dans la terre ou les rochers. Les cavernes servent d'abris à certains animaux et furent les premières habitations des hommes.

Les mots «antre», «grotte», «gouffre» ont des sens voisins.

Dans les cavernes nous voyons,
Nous dit le maître d'école,
Les pipistrelles, les ours,
Le philosophe Platon,
Nos parents préhistoriques,
Les ancêtres des moustiques,
Ali Baba, des démons,
Quelques détrousseurs de bourse
Tous gens que nous appelons
Animaux cavernicoles !

G.Jean

cep (nom masculin)

D'un mot latin signifiant «pieu», «tronc d'arbre».

Le cep est «le pied de bois de la vigne». Un «cépage» est une variété de plant de vigne.

Le vigneron dans la vigne
tout en sulfatant médite
Il regarde ses ceps sa terre
et pense à tous ces gangsters
qui munis de sulfateuses
forment une armée de tueurs
Le vigneron en plus doux
ne s'en prend jamais qu'au mildiou

Raymond Queneau

C

cerf (nom masculin)

Animal ruminant des forêts d'Europe dont la tête porte des «bois» qui indiquent l'âge de l'animal.

Le «cerf-volant» ou «lucane» est un insecte qui porte des mandibules en forme de bois de cerfs.

Et votre cerf-volant je n'ai pas besoin de vous le décrire.

Dans le cristal d'une fontaine
Un cerf se mirait autrefois,
Louait la beauté de son bois...

Jean de La Fontaine

chahut (nom masculin)

Le chahut était une danse un peu folle en usage entre 1830 et 1850. On dansait «le chahut».

Aujourd'hui il arrive que l'on fasse «du chahut». Comme dit un savant dictionnaire : «Faire du vacarme, provoquer du désordre en classe, c'est chahuter». D'où la réputation de «chahuteurs» qu'ont certains élèves dont vous n'êtes pas !

chaloupe (nom féminin)

Provient d'un vieux mot français qui signifiait «coquille de noix».

Cette «coquille de noix» est le bateau avec lequel on fait le va-et-vient entre un bateau à l'ancre et les quais du port.

C

chambellan (nom masculin)

Personnage de la cour d'un prince chargé du «service de la chambre». C'est-à-dire des appartements de ce dernier.

chameau (nom masculin)

Lequel a deux bosses ? Le chameau ou le dromadaire ?

On dit que le chameau peut traverser les déserts les plus secs sans boire. On l'appelle le «vaisseau du désert». Les Arabes disent qu'il est «un présent du ciel». Pourquoi ?

Chimouha mouchachba chimouhine
Mouchaba chimaha !
Le chameau est un animal utile
Qui nous apporte jusqu'en Chine
Chimouha mouchaba chimahine
Mouchachba Chimaha !

Comptine

chaparder (verbe)

Viendrait de «chaper» qui signifiait «vol» en argot des militaires, au moment de la conquête de l'Algérie (1830).

«Chaparder», c'est commettre de petits vols, de petits larcins, chiper, marauder.

chapiteau (nom masculin)

Le sommet décoré d'une colonne, d'une armoire ; le «chapeau pointu» qui recouvre les ruches ; et la tente sous laquelle se déroulent les merveilles du cirque.

charade (nom féminin)

D'un mot provençal signifiant «bavardage» (comme «charabia»).

Une charade est un jeu qui consiste à faire deviner un mot en définissant par de petites phrases les mots qui le constituent.

Mon premier est un moyen de transport collectif à moteur
Mon second est le vrai bonheur des toutous
Mon tout est un moyen de transport tiré par des chevaux.

Réponse :
car, os (carrosse)

charrue (nom féminin)

Mot d'origine gauloise qui aurait signifié «chariot à deux roues».

La charrue est la machine composée d'un soc tranchant qui fend la terre, d'un versoir qui la retourne, et dont on se sert pour labourer.

C

charter (nom masculin)

Avion qui permet de faire des voyages à meilleur marché.

chaume (nom masculin)

La tige des céréales restée sur le champ après la moisson.

La paille dont on recouvre les «chaumières» ou «chaumines».

Un pauvre bûcheron, tout couvert de ramée,
Sous le faix du fagot aussi bien que des ans
Gémissant et courbé marchait à pas pesants,
Et tâchait de gagner sa chaumine enfumée...

Jean de La Fontaine

chenille (nom féminin)

Provient d'un mot latin qui signifie «petite chienne».

La chenille est la larve des papillons. Parfois très belle, elle est souvent vorace et très nuisible. Si l'on excepte le ver à soie.

Le travail mène à la richesse
Pauvres poètes, travaillons !
La chenille en peinant sans cesse
Devient le riche papillon.

Guillaume Apollinaire

chevalier (nom masculin)

Au Moyen Age, noble reçu dans l'ordre de la chevalerie, «institution militaire de caractère religieux, propre à la noblesse, imposant à celui qu'on y admettait le courage, la loyauté, la protection des faibles, la loyauté envers les dames ».

C

chialer (verbe)

Provient sans doute de «chiau» ou «chiot», petit chien. Car les petits chiens «chialent».

chiche (exclamation)

Ce n'est pas le sens du mot «chiche» dans «être chiche», «être avare» qui nous intéresse, ni de «pois chiche», mais l'expression «chiche» quand on dit «pas chiche» !

chiendent (nom masculin)

«Dent de chien», car les chiens mangent cette herbe pour se purger.

Mauvaise herbe dont les racines sont très vivaces et qui est très nuisible aux pelouses, aux jardins et aux cultures.

De quelqu'un qui est «mauvais» on dit parfois : «c'est un vrai chiendent».

chimère (nom féminin)

Monstre fabuleux à tête de lion, à corps de chèvre, à queue de dragon et crachant des flammes.

Mais aussi : «illusions, rêves impossibles à réaliser».

A cheval sur nos chimères
Partons pour les pays bleus,
Où nos rêves et nos jeux,
Ne nous laisseront à faire
Que des choses que l'on veut !

G.Jean

C

L'insecte net
gratte la sécheresse.
Paul Valéry

chlorophylle (nom féminin)

Signifie «le vert des feuilles».

La chlorophylle est la substance verte grâce à laquelle les végétaux absorbent du carbone et envoient de l'oxygène dans l'air.

chœur (nom masculin)

Dans le théâtre grec, le chœur était un groupe de chanteurs et de danseurs qui commentaient l'action. On nommait ainsi le lieu où ils évoluaient dans les théâtres.

Chanter «en chœur», c'est chanter ensemble. Dans une église «le chœur» est le lieu où l'on chante ; l'enfant de «chœur» est celui qui sert la messe.

Mais il ne faut pas confondre «cœur» et «chœur» !

cicindèle des bois
(nom féminin)

Insecte coléoptère. Il figure dans «mes mots» parce que j'aime son nom !

cigale (nom féminin)

Cet insecte des pays méditerranéens vit sur les troncs des arbres et se nourrit de leur sève. L'été («La cigale ayant chanté tout l'été...») la cigale «stridule».

cigogne (nom féminin)

Cet oiseau échassier migrateur (il passe l'hiver en Afrique du Nord) se rencontre encore parfois chez nous en Alsace où il fait son nid sur les cheminées.

On racontait jadis aux petits enfants que c'était les cigognes qui apportaient les nouveaux-nés dans les berceaux.

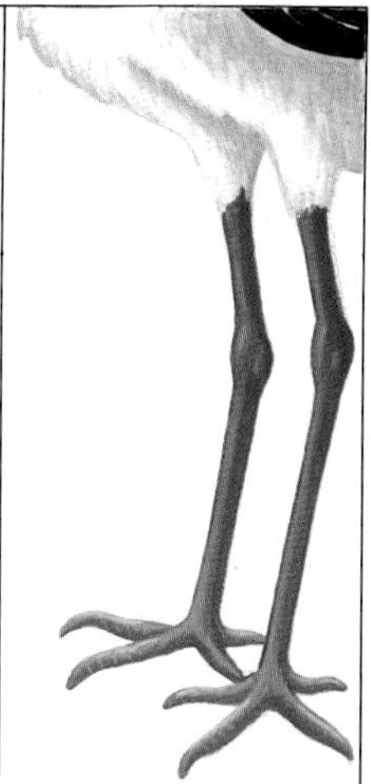

Comptine bête des gognes

Sur la route de Valogne, j'ai rencontré une gogne,
Sur la route de Langogne, j'ai interpellé deux gognes,
Sur la route de Bourgogne, j'ai congratulé trois gognes,
Sur la route de Sologne, j'ai remarqué quatre gognes,
Sur la route de Gascogne, j'ai compté jusqu'à cinq gognes,
Et ce n'est qu'en Catalogne que j'ai pu voir les cigognes.
Une gogne, deux gognes, trois gognes, quatre gognes, cinq gognes, cigogne !

G.Jean

cirque (nom masculin)

Un cirque, c'est une piste «circulaire», un chapiteau des animaux, des acrobates, des dompteurs, des écuyères, des clowns, des trapézistes, des roulottes, des «gens du voyage»...

Chez les Romains, le cirque était le lieu où combattaient les gladiateurs, où les fauves faisaient des repas de chrétiens.

Un cirque, c'est également un vaste espace en creux et circulaire dans les montagnes.

Victor Hugo dans un poème célèbre se demandait :

«Qui a creusé
le cirque de Gavarnie ?»

C

citadelle (nom féminin)

En italien «citadella» signifie «petite cité, petite ville».

Une citadelle était une sorte de «ville dans la ville», une petite ville fortifiée qui défendait la ville.

Les mots «forteresse», «bastion», «place forte» sont proches par le sens.

cithare (nom féminin)

Chez les Grecs, les cithares étaient des «lyres» perfectionnées. Aujourd'hui, instrument à corde sans «manche» en usage surtout en Europe centrale : Autriche, Roumanie, etc.

Les guitares, les cithares,
Les tambours et le printemps,
Les vielles, les violes...

Maurice Fombeure

claque (nom féminin)

«Gifle» donnée avec le plat de la main et qui fait «clac !».

«Faire la claque» c'est applaudir sur commande.

J'ai perdu le «do»
de ma clarinette (bis)
Ah ! si papa
savait ça, tralala (bis)

Chanson

clarinette (nom féminin)

Instrument de musique à vent, et à anche. Le nom «clarinette» provient de l'adjectif «clair».

clavecin (nom masculin)

Signifie «cymbale à clavier».

Cet instrument de musique ressemble à un petit piano, mais alors que dans les pianos les cordes sont frappées, les cordes du clavecin sont pincées par des becs de plume ou d'acier.

cliques et claques
(expression)

Les «cliques» sont en certains patois «les sabots». «Prendre ses cliques», c'est s'en aller. Prendre ses «cliques et ses claques» (expression formée par analogie avec «clic-clac») c'est s'en aller en emportant tout ce que l'on possède.

clochard (nom masculin)

Provient de «clocher» : «boiter».

Un clochard est un homme (il y a aussi des clochardes) qui n'a pas de domicile, ne travaille pas et vit comme il peut et veut, librement.

club (nom masculin)

Prononcer «cleube».

Ce mot anglais signifie le plus souvent pour nous : «groupe de personnes» ayant une occupation, un loisir, un sport en commun : «un football-club», «un vélo-club».

cobaye (nom masculin)

Ou «cochon d'Inde».

Ce petit rongeur qui fait le bonheur des enfants est surtout destiné aux expériences de laboratoire.

On dit d'une personne sur laquelle on fait des expériences qu'elle est «un cobaye».

C

cobra (nom masculin)

En portugais : «couleuvre à chapeau» («cobra capello»).

Serpent très venimeux, sa morsure est mortelle. Il peut dépasser 4 m de long. Une espèce qui vit aux Indes et porte sur le renflement de sa tête un dessin en forme de lunettes est appelé «serpent à lunettes». «Naja» est le nom scientifique du cobra.

cocagne (nom féminin)

Certains disent que «la cocagne» serait un vieux mot provençal désignant une friandise.

La cocagne, c'est la fête. Un pays de cocagne c'est un pays où c'est toujours la fête ; un mât de cocagne est un mât enduit de savon et au sommet duquel il faut grimper pour obtenir la récompense qui s'y trouve.

coléoptère (nom masculin)

Du grec, insectes qui ont des «ailes à étui». Ces étuis, ce sont les «ailes dures» ou «élytres».

colombe (nom féminin)

Nom poétique du pigeon blanc, symbole de paix.

Mot de tendresse : «ma petite colombe».

Noe attendit encore sept autres jours et il lâcha de nouveau la colombe hors de l'arche et la colombe revint vers lui le soir, et voici, une feuille d'olivier toute fraîche était dans son bec.

Genèse VII, II

colt (nom masculin)

En 1829 un Américain nommé Colt inventa ce pistolet automatique de calibre 11,4 mm qui depuis, porte son nom.

«Arewell ! Cesse de te nettoyer les oreilles avec le canon de ton colt. C'est mal élevé !»

Morris et Goscinny *(Lucky Luke)*

comète (nom féminin)

Signifie «astre chevelu».

Une comète est un astre pourvu d'une queue. La grande comète de 1843 avait, paraît-il, une queue de 320 millions de kilomètres !

C'est une erreur populaire de croire que les comètes soient des causes ou des présages de malheurs. Elles ne font pas plus de mal qu'un flambeau ou une lanterne qui s'approchent à la portée de notre vue.

Furetière

compas (nom masculin)

Proviendrait du verbe «compasser» : «mesurer avec les pas».

Un compas permet de mesurer la distance entre deux points. Sert également à tracer des cercles.

On nomme «compas» la boussole dont on se sert dans la marine.

Et que signifie l'expression «avoir le compas dans l'œil» ?

complot (nom masculin)

Projet secret que font quelques personnes contre un individu, un régime politique, une institution.

Les mots «conjuration», «conspiration», ont des sens voisins.

concerto (nom masculin)

Morceau de musique joué par un orchestre et un ou plusieurs instruments solistes.

condor (nom masculin)

Vautour des montagnes d'Amérique du Sud (La Cordillère des Andes). Son plumage est noir et blanc et son cou rouge, sans plumes.

... Il s'enlève en fouettant l'âpre neige des Andes,
Dans un cri rauque il monte où n'atteint pas le vent,
Et loin du globe noir, loin de l'astre vivant,
Il dort dans l'air glacé, les ailes toutes grandes...

Leconte de Lisle

confetti (nom masculin)

Mot italien qui signifie «dragée».

On désignait par ce mot les petites boulettes de plâtre qu'on lançait pendant le Carnaval, à Rome.

Puis les petits morceaux de papier ronds et multicolores que vous connaissez.

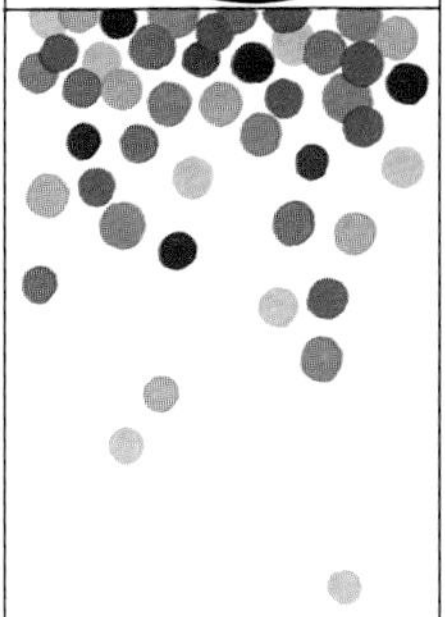

confiture (nom féminin)

On fait cuire des fruits avec du sucre, dans une bassine en cuivre de préférence. On écume, on laisse refroidir. Se mange en tartine ou à la petite cuiller. En hiver surtout !

J'ai trempé mon doigt dans la confiture,
Turelure
Ça sentait les abeilles
Ça sentait les groseilles
Ça sentait le soleil...

René de Obaldia

confluent (nom masculin)

Lieu où deux rivières, deux fleuves se rejoignent.

conifère (nom masculin)

Arbre dont les fruits sont en forme de cône : les sapins, les pins, les ifs, les cyprès...

La plupart d'entre eux ne perdent pas leurs feuilles en automne et produisent de la résine.

C

constellation (nom féminin)

Signifie «ensemble d'étoiles».

Une constellation est un groupement d'étoiles auquel l'imagination populaire a donné des noms poétiques : la Grande Ourse, le Chien, le Cygne, Orion, etc.

On dit d'un ensemble de points lumineux et brillants qu'ils forment une «constellation».

conte (nom masculin)

Histoire courte qui commence souvent par «Il était une fois...» et raconte, comme son nom l'indique, les aventures merveilleuses de héros, princes, princesses, rois et reines, magiciens et fées, ogres et lutins... : *Les Contes de Perrault, de Grimm, les Contes des Mille et Une Nuits, les Contes du Chat perché,* etc.

Conte court du conte et du conteur

«Il était une fois... un conte qui cherchait un conteur. Lorsqu'il l'eut trouvé il lui dit «conte-moi !». Mais le conteur ne parvint jamais à conter le conte au conte. Car au fur et à mesure qu'il contait le conte se transformait et devenait à son tour conteur. Si bien que le conteur se retrouva en face de lui-même. Et c'est comme ça que le conte finit...»

G.Jean

C

contrebande (nom féminin)

Le «ban», c'était la loi. Agir en contrebande c'est agir contre la loi.

Le contrebandier est celui qui introduit des marchandises d'un pays à un autre pays sans payer les droits de douane.

copain (nom masculin)

Vieux mot formé comme «compagnon» et qui signifie comme lui «celui avec lequel on mange son pain». Ressemble à «camarade» qui signifie «celui avec lequel on partage une chambre».

Avoir un bon copain,
C'est tout c'qu'il y a d'meilleur au monde,
Oui car un bon copain,
C'est plus fidèle qu'une blonde ;
Unis, main dans la main
A chaque seconde,
On rit de ses chagrins
Quand on possède un bon copain !

Chanson (Paroles de J. Boyer)

coquelicot (nom masculin)

Saviez-vous que «coquelicot» est une imitation de «cocorico» parce que la fleur de coquelicot est rouge comme une crête de coq ?

Un coquelicot
fané ne refleurit jamais.

Omar Khayam

C

corail (nom masculin)

Au pluriel «les coraux».

Ce sont de petits animaux marins des mers chaudes qui forment des sortes d'arbres minéraux blancs ou rouges et dont l'accumulation finit par constituer des récifs dangereux.

La matière minérale des coraux rouges est précieuse et on en fait des bijoux.

Le soleil sous la mer, mystérieuse aurore
Eclaire la forêt des coraux abyssins
Qui mêle, aux profondeurs de ses tièdes bassins,
La bête épanouie et la vivante flore...

José Maria de Hérédia

corbillon (nom masculin)

Petit panier, petite corbeille.

Vous connaissez peut-être le jeu auquel jouaient vos grands-mères et arrière-grands-mères :

« – Dans mon corbillon qu'y met-on ?

– Du mouton, du mouron, des poissons et des etceterons».

cornac (nom masculin)

Mot d'origine indienne qui signifie, soit «chef d'un troupeau», soit «dompteur d'éléphants».

Le cornac est celui qui soigne et pilote un éléphant. On dit parfois d'un guide que c'est un cornac.

Le cornac
A le trac
L'éléphant
Pas content
Fait l'enfant
Sur le bac
Et projette
De sa tête
Le cornac
Dans le lac.

G. Jean

C

cosmonaute (nom masculin)

Littéralement «navigateur de l'espace».

Qui décolle dans sa fusée spatiale d'un «cosmodrome».

cosmos (nom masculin)

En grec «kosmos» signifie «le monde».

Le cosmos c'est l'ensemble de l'univers.

cosse (nom féminin)

Provient d'un mot grec signifiant «escargot», «colimaçon».

Une cosse est l'enveloppe des petits pois, des lentilles, des haricots. On dit encore une «gousse».

cotillon (nom masculin)

Jupon des paysannes dans l'ancien temps.

Danse paysanne.

Danse, bal, avec accessoires : serpentins, confettis, etc.

Perrette sur sa tête ayant un pot au lait
Bien posé sur un coussinet
Prétendait arriver sans encombre à la ville.
Légère et court-vêtue elle allait à grands pas,
Ayant mis ce jour là pour être plus agile
Cotillon simple et souliers plats...

Jean de La Fontaine

C

couac (nom masculin)

Fausse note, «canard», pour un musicien.

coudrier (nom masculin)

Le «coudre» est un autre nom du noisetier, que l'on appelle encore «coudrier».

C'est avec une baguette de coudrier en forme de petite fourche que les sourciers disent pouvoir trouver des sources.

couiner (verbe)

Utilisé par les chasseurs qui disent que le lapin ou le lièvre, sous la dent du renard, couinent, poussent un cri aigu comme un enfant pas sage.

couleuvre (nom féminin)

Serpent non venimeux pouvant atteindre jusqu'à 2 mètres et aimant vivre dans l'eau.

Et que signifie l'expression «paresseux comme une couleuvre» ?

Dans le conte de Perrault *La Belle au bois dormant,* on lit curieusement :

L'ogresse reconnut la voix de la reine et de ses enfants : et furieuse d'avoir été trompée, elle commanda dès le lendemain matin, avec une voix qui fit trembler tout le monde, qu'on apportât au milieu de la cour une grande cuve qu'elle fit remplir de vipères, de crapauds, de couleuvres et de serpents...

coursier (nom masculin)

Terme noble pour désigner le cheval de selle.

La joie est un escargot rampant. Le malheur un coursier sauvage.

Maïakowski

cow-boy (nom masculin)

En anglais, «garçon de vaches». Ceux qui gardent les troupeaux dans le far-west et tirent souvent du colt dans les westerns.

Dans les plaines du far-west quand vient
la nuit,
Les cow-boys près du bivouac sont réunis
Ils fredonnent au son de l'harmonica,
Une vieille chanson de leur vieux Texas...

Ch. Humel, M. Vandair

coyotte (nom masculin)

«Loup du désert», «chacal des prairies».

Carnivore voisin du chacal vivant dans les prairies américaines.

Un dialogue de bande dessinée :

Dean Fenton : *Je ne comprends pas ! Tous les shérifs qui ont essayé de mettre de l'ordre dans ma ville ont mal fini et toi tu as réussi d'un coup.*

Lucky Luke : *C'est que tu n'es qu'un coyotte. Il suffisait de t'attaquer de front. Tous les autres coyottes t'ont aussitôt abandonné...*

Morris et Goscinny *(Lucky Luke)*

C

C

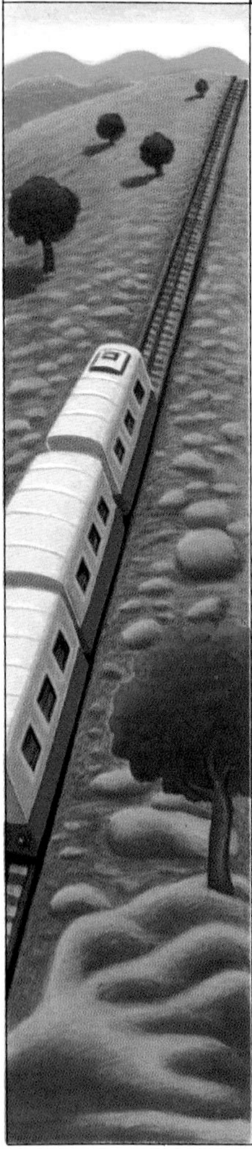

crécerelle (nom féminin)

Petit faucon brun noir qui crie comme une crécelle.

crémaillère (nom féminin)

D'un mot grec qui signifie «qui suspend». Parmi les nombreux sens de ce mot :

Crochet qui servait à suspendre les marmites dans les cheminées. Qu'est-ce que «pendre la crémaillère» ?

Rail denté pour faire avancer des trains sur de fortes pentes. Ces trains sont les «chemins de fer à crémaillère».

crétin (nom masculin ou adjectif)

Proviendrait de «chrétien», dans le sens d'«innocent».

«Abruti», «stupide», «demeuré», etc. Le crétinisme est une triste infirmité incurable.

cric (nom masculin)

En vieil allemand un «kriec» était un levier pour tourner les catapultes et autres machines de sièges.

Aujourd'hui le «cric» sert à soulever les autos lorsqu'on crève, sur la route.

Et puis, il y a le «cric» de «cric-crac». Comme disaient les vieux conteurs : «cric-crac, mon conte est fini,» comme si on tournait une clef dans une serrure pour fermer la porte.

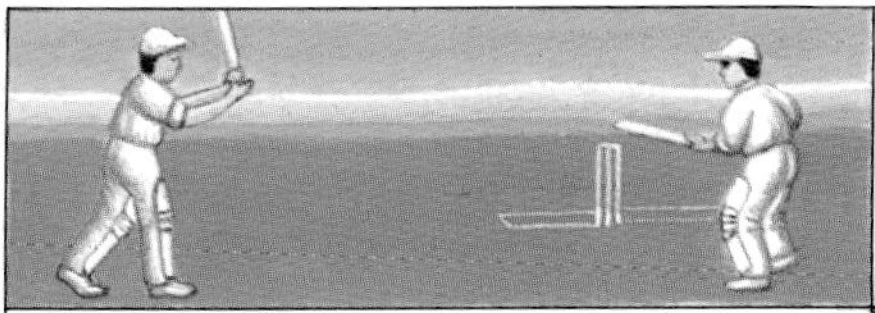

cricket (nom masculin)

Mot anglais sans doute repris du vieux mot «criquet» qui désignait le bâton planté en terre servant de but au jeu de boules au XVe siècle. Actuellement, le cricket est un jeu d'origine anglaise, jeu d'équipe qui se joue avec des battes de bois, des balles et un guichet (notre criquet). Ce jeu est complètement incompréhensible à tout être humain qui n'est pas britannique depuis plusieurs générations.

cri-cri (nom masculin)

Chant du grillon des champs, du criquet. Le «cri-cri» est le nom familier que l'on donne au grillon du foyer.

cristal (nom masculin)

Corps minéral de forme géométrique, comme les prismes de cristal de roche.

Le cristal est également le nom que l'on donne à un verre très dur, très brillant, très sonore.

Le quartz qui fait maintenant marcher les montres est un cristal.

... Est-ce vivre ?... O désert de volupté pâmée
Où meurt le battement faible de l'eau lamée
Usant le seuil secret des échos de cristal...

Paul Valéry

C

crocodile (nom masculin)

Espèce de grand lézard qui vit dans les fleuves des pays chauds. Les crocodiles peuvent mesurer jusqu'à 6 m de long. Ils ont la réputation d'être cruels. Avec leur peau on fait des sacs à main, des portefeuilles, des chaussures de luxe.

Les «crocodiliens» comprennent : le caïman, le gavial, l'alligator.

... On aperçoit beaucoup de crocodiles
Les jeunes alertes et frétillants
Les gros le dos recouvert d'une mousse verdâtre se laissent aller à la dérive...

Blaise Cendrars

crustacé (nom masculin)

Les crustacés sont des animaux aquatiques recouverts d'une carapace dure, ou «croûte», d'où leur nom. Comme le homard, la langouste, le crabe...

Un homard, c'est autre chose qu'un poisson ! La sole ne s'éloigne pas tellement de l'homme après tout : c'est ce que je crois maintenant. Mais le homard ! Vivre dans une carapace, autrement dit avoir ses os autour de soi, quel changement radical cela doit être dans la façon de comprendre la vie...

Raymond Queneau

Dauphins vous jouez dans la mer,
Mais le flot est toujours amer.
Parfois, ma joie éclate-t-elle ?
La vie est encore cruelle.
Guillaume Apollinaire

D

dard (nom masculin)

Vieux mot franc signifiant «javelot».
Aujourd'hui un dard dans son sens le plus courant, est l'aiguillon de la guêpe, de l'abeille, du frelon.

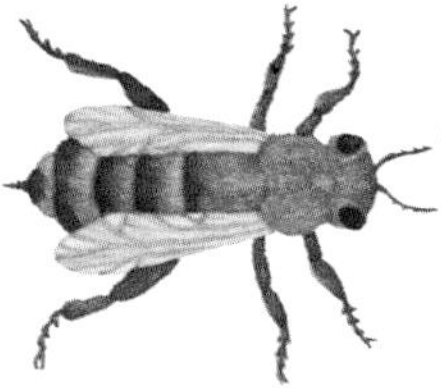

dauphin (nom masculin)

Mammifère marin de 2 m de long au maximum, vivant en groupe. Le dauphin est un animal intelligent que l'on peut dresser et dont on montre les fantaisies au public.
La delphinologie est l'étude des mœurs et habitudes des dauphins.

débile (nom et adjectif)

Quelqu'un physiquement ou mentalement faible.
L'adjectif débile s'emploie souvent et de plus en plus dans le sens de : absurde, ridicule, pas dans le vent.

déblatérer (verbe)

Provient d'un mot latin signifiant «dire n'importe quoi». Déblatérer, c'est dire n'importe quoi contre quelqu'un. Ce mot rappelle le bruit du bavardage, le «blablabla». Saviez-vous que le chameau et le bélier, quand ils crient, «blatèrent» ?

débraillé (adjectif)

D

Je retiens ce mot, dont vous connaissez certainement la signification, parce que son origine est amusante. En effet un «gaulois débraillé» était un gaulois qui «perdait ses braies», les braies étant les pantalons des gaulois !

D

«Et glo
et glu
et déglutit sa bru
gli et glo
et déglutit son pied
glu et gli
et s'englugliglolera...

Henri Michaux

déglutir (verbe)

Avaler, engloutir, faire passer de la bouche à l'estomac.

delta (nom masculin)

La quatrième lettre de l'alphabet grec, a donné son nom, par sa forme, à l'embouchure du Nil puis à l'embouchure des fleuves qui se séparent en triangle en se jetant dans la mer.

Forme triangulaire : les ailes en delta d'un avion, le deltaplane.

démarrer (verbe)

Littéralement «rompre ses amares». Quitter le port pour un bateau.

Commencer à avancer ou à marcher pour une machine, une automobile, etc.

Commencer d'une façon générale après le silence, le repos ou l'immobilisation : «voilà le printemps, les arbres démarrent» !

D

derrick (nom masculin)

L'origine de ce mot anglais est curieuse : il a d'abord signifié «potence», «gibet», du nom d'un célèbre bourreau qui portait le nom de Derrick (en 1888).

Aujourd'hui un derrick est le pylone qui soutient les systèmes de forage du pétrole.

desperado (nom masculin)

En espagnol «désespéré». Un homme qui n'attend plus rien de la vie ni de personne et qui se voue à la violence, dans les westerns par exemple.

Ils galopent sur leurs chevaux,
Barbes noires, grands chapeaux,
Pistolets et longs couteaux,
Les méchants desperados !
Et font voler la poussière !

Et quand revient la lumière
Dans la salle du ciné,
Avec eux on est allé
Jusqu'au fond de la prairie.

G. Jean

D

dessein (nom masculin)

Le vieux verbe français «desseigner» qui signifiait «faire des plans, des projets» a donné de nos jours deux mots : le mot «dessein» qui signifie effectivement projet et le mot dessin... dont vous connaissez le sens.

Les desseins qui ont besoin de beaucoup de temps pour être exécutés ne réussissent presque jamais.

Montesquieu

Ça, qu'on selle
Ecuyer
Mon fidèle
Destrier.

Victor Hugo

destrier (nom masculin)

Au Moyen Age, cheval de bataille. Le cheval de parade lui, se nommait le palefroi. Le destrier était mené par la main droite (la dextre) de l'écuyer.

deuil (nom masculin)

Provient du mot latin «douleur». Le deuil est la douleur que l'on éprouve à la mort d'un être cher. Ce mot désigne également la mort d'une personne : quelqu'un qui est frappé par un deuil. Le deuil est la période pendant laquelle on marque par des signes (vêtements sombres, brassard noir, etc.) la perte récente d'une personne proche.

Faire son deuil de quelque chose, c'est y renoncer.

A l'ouïr sangloter
et les nuits
et les jours
On jugea
que son deuil
ne lui durerait guère.

Charles Perrault

diable (nom masculin)

Esprit du mal. Dans la religion chrétienne on dit que les anges déchus (rejetés par Dieu) sont devenus des démons dont le prince se nomme Satan ou le Diable.

Ce mot qui peut être une exlamation («Diable, diable ! dit-il en se grattant la tête») s'emploie dans de nombreuses expressions. Cherchez ce qu'elles signifient : «la beauté du diable» ; «se démener comme un beau diable» ; «tirer le diable par la queue» ; «allez au diable !» ; «que le diable m'emporte !», etc.

diabolo (nom masculin)

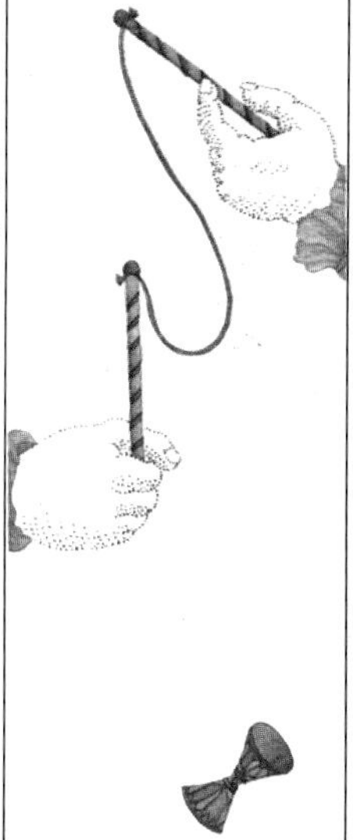

Jeu de difficulté «diabolique», qui consiste à rattraper une espèce de bobine à l'aide de la ficelle tendue entre deux baguettes avec laquelle on la lance en l'air.

Mais il y a aussi les «diabolo-menthe», «diabolo-grenadine», etc.

diapason (nom masculin)

Mot formé à partir d'une phrase grecque signifiant «à travers toutes les notes».

Le diapason d'une voix ou d'un instrument est :

Soit l'ensemble des notes du grave à l'aigu que cette voix ou cet instrument peuvent émettre.

Soit un petit instrument de métal qui donne le «la» c'est-à-dire une note juste.

D

dictateur (nom masculin)

Chez les Romains, le dictateur (qui dictait les ordres) était un chef qui avait tous les pouvoirs pour un temps limité.

De nos jours un dictateur est un chef d'Etat qui gouverne seul, par la force et la violence.

Le régime politique du pays où gouverne un dictateur est une «dictature».

dicton (nom masculin)

Provient d'un verbe latin «dire».

Un dicton est une sentence, une remarque, un adage qui exprime le bon sens populaire.

Les rougeurs
du matin
font tourner
les moulins.

Année neigeuse,
année fructueuse.

Arc-en-ciel
du matin
Pluie sans fin.

D

diesel (nom masculin)

Moteur inventé par Monsieur Diesel, un ingénieur allemand (1856-1931). Ce moteur fonctionne sans bougies et consomme du gas-oil et non de l'essence.

dieu (nom masculin)

Au singulier: « être suprême, créateur de l'univers, éternel infiniment parfait», pour les croyants.

Au pluriel les dieux, sont des personnages surnaturels qui règlent la vie des hommes. Chez les Romains : Jupiter, Mars, Junon, etc.

Les religions nombreuses et diverses qui existent sur la terre représentent les différentes manières qu'ont les hommes de prier et d'honorer un dieu ou des dieux.

Au commencement Dieu créa le ciel et la terre. La terre était informe et vide ; les ténèbres couvraient l'abîme et l'esprit de Dieu se mouvait au-dessus des eaux. Dieu dit : «Que la lumière soit !» et la lumière fut.

Et Dieu vit que la lumière était bonne ; et Dieu sépara la lumière des ténèbres. Dieu appela la lumière, jour et les ténèbres, nuit.

Genèse, I, I

diurne (adjectif)

Tout ce qui dure un jour ou est relatif au jour. «Nocturne» concerne tout ce qui est relatif à la nuit.

On appelle «rapaces diurnes» les aigles, les faucons, etc. et «rapaces nocturnes» les chouettes, les hiboux, qui sortent la nuit.

D

dollar (nom masculin)

Unité de monnaie de plusieurs pays, principalement les Etats-Unis, et le Canada.

On appelle parfois le dollar américain «le billet vert». Au moment où j'écris le dollar vaut 6 frs français. Et au moment où vous me lisez ?

dompteur (nom masculin)

Dompter un animal c'est le dresser, le plier à sa volonté. Le dompteur est celui qui, dans les cirques principalement, dresse les bêtes fauves, tigres, lions, etc.

donjon (nom masculin)

Tour maîtresse, tour du seigneur, tour centrale du château fort où l'on vivait et où l'on se réfugiait en dernier recours.

Ces douves-là nous font parfois si grise mine,
Qu'il faut recommencer à l'heure où l'on termine,
Et que la ville prise, on échoue au donjon.

Victor Hugo

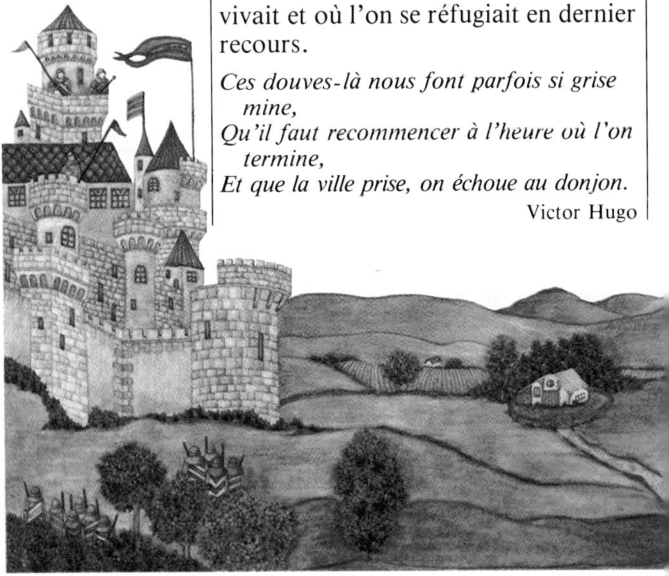

douille (nom féminin)

Partie métallique creuse dans laquelle on met un manche : «une douille de pioche», ou de la poudre : «la douille d'une cartouche».

Mais vous savez peut-être qu'en argot les «douilles» ce sont les cheveux, parce que, paraît-il, les cheveux sont «douillets» (sensibles) au toucher quand on les tire brusquement.

C'est l'arsouille Niquedouille
Qui va sous la pluie qui mouille
Tout en mangeant de l'andouille
Des nouilles et de la rouille
Si bien que ses longues douilles
Lui pendouillent sur la bouille
Ouille ouille ouille...

G.Jean

douve (nom féminin)

Ce mot a trois sens :

Le fossé qui entoure des fortifications d'un château et que l'on emplit d'eau.

Les pièces de bois que l'on assemble et que l'on cercle pour faire des tonneaux sont des douves.

La douve est un vers parasite du foie du mouton.

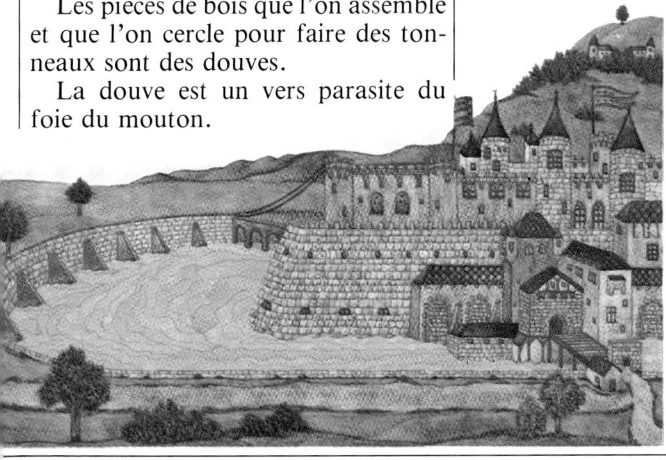

D

doyen (nom masculin)

Provient du mot latin par lequel on désignait dans l'armée romaine le sous-officier qui commandait un groupe de dix soldats.

Le mot doyen désigne aujourd'hui la personne la plus âgée d'un groupe.

dragon (nom masculin)

Monstre fabuleux qui avait des griffes de lion, des ailes d'oiseau et un corps de serpent. Il gardait en général les endroits interdits.

Qui veut devenir dragon doit manger beaucoup de petits serpents.

Proverbe chinois

D

drogue (nom féminin)

Les drogues sont les produits divers vendus dans les drogueries (peintures, etc.)

Les drogues sont des produits qui entrent dans la composition des médicaments.

Mais «la» drogue désigne l'ensemble des produits dits «stupéfiants».

drugstore (nom masculin)

Du français «drogue» et de l'anglais «store» : «boutique». Un drugstore c'est «une boutique à drogues». En fait c'est un magasin très répandu aux Etats-Unis et dans lequel on trouve de tout : produits pharmaceutiques, tabac, livres, bijoux, toutes sortes de gadjets et dans lequel on peut manger.

druide (nom masculin)

Mot d'origine gauloise par lequel on désignait les prêtres chez les Celtes.

La principale occupation des Druides était de couper le gui des chênes avec une faucille d'or. Ils faisaient avec ce gui, des remèdes pour tous les maux.

Furetière

D

duel (nom masculin)

Combat entre deux adversaires qui veulent «régler un différent» ou dont l'un a provoqué l'autre en l'injuriant ou en blessant son honneur.

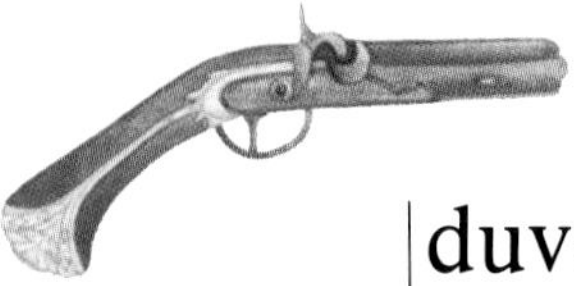

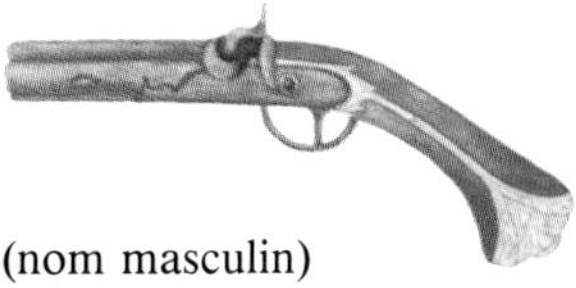

duvet (nom masculin)

Du vieux mot français «dumet».

Les petites plumes courtes, légères et douces qui sont sous les grandes plumes chez les oiseaux.

Les premières plumes des poussins.

Les premiers poils courts, légers et doux des petits animaux.

Les premiers poils courts, légers et doux qui poussent avant la barbe sur le menton des adolescents.

Les poils fins et soyeux qui se trouvent sur certains fruits : le duvet de la pêche.

Edredon, sac de couchage, fourré de duvet.

De bon duvet
faistes
votre literie.
Eustache Deschamps

dynastie (nom féminin)

Se dit d'une suite de rois de la même famille et qui ont régné l'un après l'autre dans un royaume : la dynastie des Valois, des Bourbons.

Se dit également des personnes d'une même famille : la dynastie des Bach.

Un éléphant,
Ça trompe, ça trompe,
Un éléphant,
ça trompe énormément…

Chanson

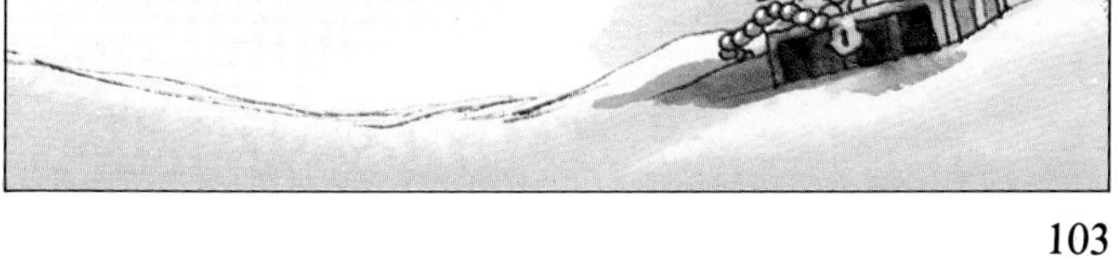

E

ébène (nom féminin)

Bois provenant d'arbres des pays tropicaux, de couleur foncée, presque noire, et très dur. On en fait des instruments de musique.

Le «bois d'ébène» était une expression pour désigner les esclaves africains que les négriers vendaient en Amérique à l'époque de la traite des Noirs.

Flûte d'ébène lumineuse et lisse,
transperce les brouillards
de ma mémoire.

Léopold Sédar Senghor

ébouriffer (verbe)

Retrousser les cheveux d'une personne ou le poil d'un animal comme de la bourre (la bourre est de la laine ou de la soie non peignée).

écaille (nom féminin)

D'un vieux mot allemand qui signifie «coquille».

L'écaille est la matière qui constitue la carapace de certaines tortues. On en fait divers objets : des montures de lunettes par exemple.

Les écailles sont également de fines plaquettes qui recouvrent le corps des poissons, des serpents et de très petites particules qui donnent leurs si belles couleurs aux ailes des papillons.

E

échec (nom masculin)

Au singulier le mot «échec» signifie que l'on n'a pas réussi dans une entreprise ou un examen : «connaître un échec».

Au pluriel le mot échecs évoque un jeu très connu et pratiqué par les petits et les grands. Le jeu d'échecs est très ancien. Mais vous ne savez peut-être pas l'origine de l'expression «échec et mat». Lorsqu'un joueur est mis échec et mat c'est qu'il a perdu la partie et que son roi ne peut plus bouger. Or cette expression provient du persan : «shâh mat» ou le «roi est mort».

Les fous sont, aux échecs, les plus proches des rois.

Mathurin Régnier

éclipse (nom féminin)

Signifie littéralement «disparition».

L'éclipse de soleil a lieu lorsque la lune cache le soleil. Le soleil est «éclipsé» par la lune.

L'éclipse de lune a lieu lorsque la terre cache la lune.

Dans l'ancienne Chine, on disait que lorsqu'il se produisait une éclipse de lune, c'est que la lune était mangée par un crapaud.

écrin (nom masculin)

Coffret, cassette, petite boîte capitonnée dans laquelle on garde des objets précieux et en particulier des bijoux.

E

écu (nom masculin)

Pièce de monnaie dans l'ancienne France.

Avoir beaucoup d'écus : être riche.

La boulangère a des écus (bis)
Qui ne lui coûtent guère (bis)
Elle en a je les ai vus,
J'ai vu la boulangère aux écus,
J'ai vu la boulangère !

Vieille chanson enfantine

écume (nom féminin)

Mousse de la mer quand les vagues se brisent.

Sueur du cheval quand il court.

Mousse de la confiture quand on la fait cuire.

écureuil (nom masculin)

Proviendrait d'un mot grec signifiant : «qui se fait de l'ombre avec la queue».

Ce petit rongeur roux (ou parfois gris) qui vit dans les arbres et se nourrit de noisettes a en effet une queue en panache plus grosse que lui.

Ecureuil, queue touffue, doré trésor
des bois, ornement de la vie
et fleur de la nature,
juché sur ton pin vert,
dis-nous ce que tu vois.

Paul Fort

églantier (nom masculin)

Arbuste produisant des églantines, c'est-à-dire des roses sauvages.

Eglantine, vin du matin.

Paul Eluard

emblème (nom masculin)

Figure, image, dessin, qui représente une idée, une chose, etc. Le drapeau bleu, blanc, rouge est l'emblème de la France.

On peut également employer le mot «symbole».

embrun (nom masculin)

Le plus souvent employé au pluriel. Poussière d'eau de mer que le vent emporte quand la vague éclate.

émigré (nom masculin)

Personne qui quitte son pays pour aller vivre et travailler dans un autre pays.

Il y a en France beaucoup de travailleurs émigrés algériens, marocains, tunisiens, portugais, noirs africains, etc.

en-cas (nom masculin)

Quelque chose qui est en réserve et que l'on utilisera en cas de besoin.

Repas léger : «prendre un petit en-cas».

enclume (nom féminin)

Masse de fer allongée sur laquelle on façonne les métaux en les forgeant.

Le forgeron
est au fourneau,
Ois comme le charbon
s'allume,
Le fer rouge
dessus l'enclume
Etincelle
sous le marteau...
Théophile de Viau

E

enfer (nom masculin)

D'un mot latin signifiant «en bas», «en dessous».

Chez les Anciens, les Enfers étaient le séjour des âmes après la mort.

Pour les chrétiens, l'Enfer est la demeure du Diable, le lieu où les âmes des damnés subissent des supplices éternels. On raconte que le principal supplice est d'être dévoré par les flammes. C'est pourquoi l'on dit d'un feu vif ct violent «un feu d'enfer».

Aller très vite, «à pied, à cheval ou en voiture», c'est «mener un train d'enfer».

Variation sur une vieille comptine suisse:

Dans le pays de Gruyère
On a cru que c'était l'enfer
La sorcière de céans
Etait tombée dans le feu
En fabriquant une tarte.
Quand le Diable a vu cela
A grands sauts il est revenu,
Avec Monsieur Lustucru.
Ils ont fait ce qu'ils ont pu
Pour la maintenir au feu.
Toi qui as vu tout cela
Fous- moi l'camp petit bossu
Ou ce Monsieur Lustucru
Te jett'ra au feu tout cru !

G. Jean

engoulevent (nom masculin)

Qui «engoule» le vent, c'est-à-dire qui avale le vent.

L'engoulevent est un oiseau qui ouvre son bec très large en volant pour avaler beaucoup d'insectes.

énigme (nom féminin)

Provient d'un mot grec qui signifiait : «parole obscure».

Une énigme est une parole, un dessin, une situation dont il faut deviner le sens. On dit : «Trouver le mot de l'énigme».

Alors vous, trouvez le mot de cette énigme de Voltaire :

Cinq voyelles, une consonne,
En français composent mon nom,
Et je porte sur ma personne
De quoi l'écrire sans crayon.

Réponse: oiseau

entrelacs (nom masculin)

Ornement décoratif composé de lignes qui se recoupent, se croisent, s'enchevêtrent.

éolienne (nom féminin)

Chez les Grecs, Eole était le dieu du vent.

Une éolienne est un moulin à vent qui sert à pomper de l'eau. On en voit à nouveau aujourd'hui.

Une harpe éolienne est une harpe dont les cordes vibrent dans le vent.

Le vent peut modifier les formes du sable et même des roches ; on parle alors d'«érosion éolienne».

E

épave (nom féminin)

Provient d'une curieuse expression latine signifiant «qui s'enfuit sous le coup de la peur», ou encore «qui est égaré», «dont on ne connaît plus le propriétaire».

Une épave est ce qui reste d'un navire après un naufrage.

Le bureau des objets trouvés s'appelle parfois le «bureau des épaves».

On dit également d'une personne abandonnée : «c'est une véritable épave».

épeire (nom féminin)

Araignée des bois et des jardins au gros abdomen coloré et qui construit de très belles toiles.

L'épeire bâille, bâille
en attendant
les mouches. Ah ! cruelle épeire
qui te construis dans les jardins
mélancoliques
de petits abattoirs en fils
de diamant.

Raymond Queneau

épervier (nom masculin)

Rapace diurne que l'on dressait comme le faucon pour la chasse.

On l'appelle aussi «émouchet», «mouchet», «tiercelet».

On ne regarde l'épervier
que s'il emporte sa proie.

Proverbe bantou

E

éphémère (nom masculin et adjectif)

Du grec «qui ne dure ou ne vit qu'un seul jour» : «une joie éphémère».

L'éphémère est un petit insecte du genre moustique qui ne vit qu'un jour ou deux.

Les éphémères de l'étang
Ne vivent dit-on qu'un instant
Mais dans la joie de la lumière
La courte vie des éphémères
Est plus heureuse que le lent
Et noir et gris cheminement
De ceux qui vivent trop longtemps.

G.Jean

épinoche (nom féminin)

Petit poisson à épines dorsales et latérales, d'où son nom.

L'épinoche a la particularité de construire un nid où le mâle féconde les œufs.

Le verbe «épinocher» s'employait pour dire qu'on mangeait lentement comme si on mangeait des épinoches qui ont beaucoup d'arêtes.

éponge (nom féminin)

Animal marin gélatineux dont on utilise le squelette, pour la toilette, le nettoyage. De nos jours on fabrique des éponges en matière plastique.

L'éponge absorbe, mais il faut la presser pour qu'elle s'exprime. Proverbe allemand

E

épopée (nom féminin)

Une épopée est un poème qui raconte les exploits légendaires d'un héros. On dit encore «poème épique». *L'Iliade* et *l'Odyssée* de Homère, *la Légende des siècles* de Victor Hugo sont des épopées.

Mais des aventures vécues réellement, difficiles et héroïques, constituent parfois de véritables épopées.

L'épouvantail a l'air d'un humain quand il pleut.
Seibi

épouvantail (nom masculin)

Mannequin que l'on place au milieu des prés, des champs, des vergers pour effrayer les oiseaux trop gourmands.

érable (nom masculin)

Arbre que l'on appelle également «sycomore» et dont, à l'automne, les feuilles deviennent rouges.

Les érables sont très nombreux au Canada et c'est pour cela qu'une feuille d'érable rouge figure sur le drapeau canadien.

Avec la sève de l'érable les grands-mères canadiennes font un délicieux sirop.

E

ère (nom féminin)

Longue période de temps. Ce mot sert à désigner les grandes périodes de l'histoire de la terre : les ères primaire, secondaire, tertiaire, quaternaire, etc.

Les grandes périodes de notre histoire également. Par exemple : nous vivons en l'an 1982 de notre ère, l'ère chrétienne qui commence à la naissance du Christ.

Comptine en l'air

L'ère où j'erre
Est prospère
Je l'espère
Car c'est l'ère
Quaternaire
De la terre
Et cette ère
Sur cet air
Va vous plaire
Tra la laire...!

G. Jean

escale (nom féminin)

Mot italien signifiant «échelle».

L'escale est le lieu où un bateau jette l'ancre et où on met une échelle pour débarquer. On parlait jadis des «échelles du Levant» pour évoquer les ports de la Méditerranée orientale.

Une escale, c'est le lieu où un bateau, un avion s'arrêtent.

Je sors de la sieste et j'entre en escale,
Ouvert le hublot, lanterne magique
M'offrant des maisons basses.

Jules Supervielle

escampette (nom féminin)

Diminutif de «escampe» qui vient du verbe «escamper» : prendre les champs.

Le mot «escampette» s'emploie surtout dans l'expression : prendre la poudre d'escampette, qui signifie s'enfuir.

E

espadon (nom masculin)

Epée à large lame en usage au XVIe siècle.

Poisson dont la mâchoire supérieure forme une épée. C'est ce poisson que pêche le vieil homme dans le très beau livre d'Ernest Hemingway : *Le Vieil Homme et la Mer.*

esquif (nom masculin)

Petit bateau très léger.

L'un frémit l'autre espère
Le vent semble une vipère
On pense à Dieu
Pour qui l'esquif vogue ou sombre
Et qui change en gouffre d'ombre
Le gouffre bleu.

Victor Hugo

essaim (nom masculin)

Groupe d'abeilles ou de guêpes, qui vivent ensemble autour d'une reine.

Lorsqu'une ruche est trop peuplée, les abeilles forment un essaim et on le trouve parfois accroché à un arbre.

Tu vois en ce temps nouveau
L'essaim beau,
De ces pillardes avettes
Voleter de fleur en fleur,
Pour l'odeur
Qu'ils mussent en leurs cuissettes.

Rémi Belleau

estafette (nom féminin)

D'un mot italien qui signifie : «étrier».

L'estafette était le soldat à cheval qui apportait les dépêches. Plus généralement quelqu'un qui vient prévenir et arrive en avant.

L'estafette est également une espèce de camionnette automobile.

estoc (nom masculin)

Pointe d'une épée.

Genre d'épée très pointue.

«Frapper d'estoc et de taille» : c'est frapper avec la pointe et la lame de l'épée.

étang (nom masculin)

Provient du vieux verbe «estancher» qui signifie «arrêter le cours de l'eau». On retrouve ce verbe dans «étancher sa soif».

Un étang est une étendue d'eau peu profonde et qui est retenue par ses bords. Un étang est plus petit qu'un lac et plus grand qu'une mare.

E

Millions, millions et millions d'étoiles.
Victor Hugo

étoile (nom féminin)

Astre doué d'un éclat propre, contrairement aux planètes. Les planètes renvoient la lumière du soleil ou celle d'autres étoiles.

L'étoile est une forme géométrique à cinq (ou plus) branches.

Et vous connaissez certainement le sens des expressions :

«Dormir à la belle étoile».

«Voir les étoiles en plein midi».

«Etre né sous une bonne ou une mauvaise étoile».

«Gagner ses étoiles de général».

«Une danseuse étoile».

étrave (nom féminin)

Proue d'un navire, partie qui fend les flots.

étrier (nom masculin)

A l'origine courroie dans laquelle les cavaliers romains, puis francs, passaient le pied. Puis anneau métallique dans lequel le cavalier met le pied.

Qui entre dans l'étuve en sortira en sueur.
Proverbe turc

étuve (nom féminin)

Provient d'un verbe latin qui signifie «remplir de vapeur».

Une étuve est une salle de bain de vapeur. Dans les pays nordiques, en Suède, en Finlande on appelle cela des «saunas».

Légers feux follets
Par les nuits d'été
Lorsque vous dansez
Je crois reconnaître
Des robes de fées
Qui n'ont qu'à paraître
Pour que mon sommeil
Soit plein de merveilles.
G. Jean

Je te veux dire
une belle fable
C'est à savoir
du Lion et du Rat.
Clément Marot

fable (nom féminin)

Récit, le plus souvent en vers et qui sert d'illustration à une moralité : *Les Fables* de La Fontaine.

«La fable» désigne aussi les légendes imaginaircs des peuples.

fada (nom masculin)

Mot provençal signifiant «grand fou». «Etre fada», c'est «être un peu cinglé, timbré ».

Mais les «fadas» provençaux, ce sont également les petits génies amis des fées , cousins des «fadettes» du Berry.

Connaissez-vous les fadas de Goult ?
– Ils prennent une chaise... s'assoient par terre !
Récits et contes populaires de Provence

fair-play (expression)

Expression anglaise signifiant à l'origine : «manière de jouer (ou d'agir) loyalement».

Aujourd'hui être «fair-play», c'est respecter les règles du jeu et être loyal dans ses actes et son comportement.

faisan (nom masculin)

Oiseau du «Phase», fleuve grec d'Asie Mineure.

Le faisan est un oiseau de nos forêts et de nos taillis dont le mâle est paré de plumes aux couleurs éclatantes.

Il est très savoureux à manger. La femelle s'appelle le plus souvent «poule faisane».

fan (nom masculin)

Abréviation du mot anglais «fanatic» : fanatique.

Admirateur fanatique d'une vedette de la chanson, du cinéma, du théâtre, etc.

faon (nom masculin)

Provient d'un mot latin qui signifie «petit d'animal». C'est ainsi que l'on peut dire le « faon» d'une lionne pour le lionceau.

Mais le plus souvent le faon désigne le petit de la biche et du cerf.

Si je touche cette boîte,
En bois de haute futaie
Un faon s'arrête et regarde
Au plus fort de la forêt.

Beau faon, détourne la tête,
Poursuis ton obscur chemin.
Tu ne sauras jamais rien
De ma vie et de ses gestes.

Jules Supervielle

faucon (nom masculin)

Oiseau de proie diurne dont les griffes, le bec et les ailes ont la courbure d'une faux d'acier, d'où son nom, paraît-il !

La vue du faucon est perçante et on l'utilisait (on l'utilise encore) pour la chasse, le «faucon pèlerin» en particulier dont l'espèce est malheureusement en voie de disparition ; d'où la nécessité de la protéger.

Sur un poing posé le faucon
Fixe loin ses proies à la ronde
D'un œil impérial tel qu'on
Le croirait le maître du monde.

Daniel Lander

faune (nom masculin ou féminin)

«Faunus» était chez les Romains un dieu de la fécondité des champs et des troupeaux.

Un «faune» était une divinité à forme humaine mais qui avait des cornes et des pieds de chèvre.

Quant à «la faune» qui est au féminin, c'est l'ensemble des animaux d'une région. On appelle l'ensemble des végétaux : «la flore».

fée (nom féminin)

Personnage imaginaire des contes et des légendes et qui possède des pouvoirs surnaturels. Les fées Carabosse, Morgane, Mélusine..., vous les connaissez certainement.

fesse (nom féminin)

D'un mot latin qui signifie «fente, crevasse, fissure», ce qu'on nomme aujourd'hui «la raie des fesses » !

D'après Monsieur Littré : «chacune des parties charnues du derrière de l'homme, du singe et de quelques animaux quadrupèdes».

feu follet (nom masculin)

C'est un feu léger et dansant, une flamme produite par la combustion de certains gaz dans les marécages et les cimetières.

On croyait que les feux follets étaient les âmes des personnes coupables, condamnées à errer dans les cimetières et les marais en attendant le jour du Jugement dernier.

fifre (nom masculin)

Petite flûte au son très aigu utilisé dans les musiques militaires.

Pour les militaires
Qui vont à la guerre
Fifres et tambour
Font rêver d'amour !

G. Jean

F

figurant (nom masculin)

Du mot «figurer» qui signifie «représenter».

Un figurant est un acteur qui n'est là, au théâtre ou sur un plateau de cinéma, que pour sa figure. Il passe, repasse, se meut, et ne parle presque pas ou pas du tout.

fjord (nom masculin)

Prononcer «fiord».

Ce mot norvégien désigne un golfe étroit aux eaux très profondes, et creusé par la langue d'un glacier qui s'est retiré. On en trouve de nombreux sur les côtes de la Norvège.

flamant (nom masculin)

Oiseau couleur de flamme ou de feu, d'où son nom. On dit d'ailleurs le plus souvent «un flamant rose».

Selon les Hindous, le flamant, ce grand oiseau rose est celui qui connaît le monde de la lumière ; il est l'initiateur à la lumière.

Dictionnaire des symboles

flash (nom masculin)

Mot anglais qui signifie «jet de lumière, éclair, flamme subite».

En français ce mot désigne l'éclair qui permet de photographier dans le noir, la lampe ou l'appareil électronique qui produit cet éclair.

Une information rapide que l'on transmet à la radio ou à la télévision en interrompant le cours des programmes est également un «flash».

flèche (nom féminin)

Fine tige de bois garnie d'une pointe à un bout et à l'autre bout d'une petite ailette et que l'on lance avec une arbalète ou un arc.

«Lancer une flèche empoisonnée à quelqu'un» c'est lui dire une parole blessante.

On dit la «flèche» d'une cathédrale pour désigner un clocher pointu en forme de flèche.

La flèche que tu lances contre un juste reviendra sur toi.

Proverbe araméen

flic (nom masculin)

Provient d'un mot allemand signifiant : «jeune homme» ou encore «mouche».

Aujourd'hui : «policier, agent de police, C.R.S., gendarme».

flotte (nom féminin)

Provient de «flot».

La «flotte» c'est de l'eau en langage populaire : boire de la flotte, il tombe de la flotte, il flotte, etc.

La flotte c'est également un ensemble de navires, d'avions.

football (nom masculin)

«Balle au pied».

J'aime bien la définition de ce jeu dans un grand dictionnaire récent : «Sport dans lequel vingt-deux joueurs, divisés en deux camps opposés, s'efforcent d'envoyer un ballon sphérique dans le but du camp adverse sans l'intervention des mains». (Grand Larousse de la langue française).

C'était le bon temps des copains
Quand on jouait au foutebolle
Pendant la récré du matin
Dans la cour grise de l'école.
On tapait dans n'importe quoi
Balle de son, morceau de bois,
Boîte de fer ou vieux chiffon,
Mais nous étions de vrais champions !
Les vrais, les seuls, car maintenant
Le fout, à la télévision,
N'est plus rien qu'une illusion !

G. Jean

F

forban (nom masculin)

Celui qui est banni, exclu.

Un forban, c'était un pirate de la mer qui saisissait les navires pour son propre compte, à la différence des corsaires qui travaillaient pour le roi. On les appelait encore les «flibustiers».

Plus généralement un forban est quelqu'un qui se met hors la loi, un bandit, un brigand, etc.

forçat (nom masculin)

Condamné aux galères, sous l'Ancien Régime, aux travaux forcés (d'où le nom).

Celui qui travaille beaucoup, pour les autres, et qui gagne peu, est aussi un forçat.

Debout les damnés de la terre,
Debout les forçats de la faim
La raison tonne en son cratère,
C'est l'éruption de la fin !

Eugène Pottier

forge (nom féminin)

Lieu où l'on travaille les métaux et principalement le fer en le chauffant à blanc.

L'appareil à soufflet à l'aide duquel on chauffe le métal s'appelle également la forge.

Celui qui travaille le métal dans la forge est le forgeron.

Les enfants du forgeron n'ont pas peur des étincelles.

Proverbe danois

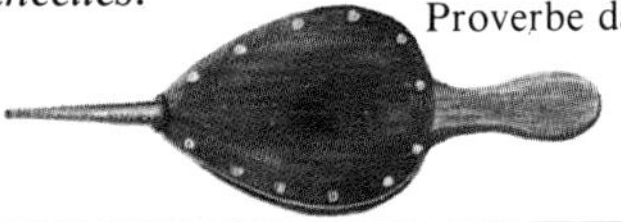

fossette (nom féminin)

Petit creux que certaines personnes ont sur les joues, au milieu du menton et que les tout petits bébés ont aux coudes.

Dodo ma doucette
Luciole joliette
Je caresse tes fossettes
Au son de ma musiquette
Soie soyeuse soie tendrette
Au creux de ta mentonnette
Dodo dodo ma doucette.

G. Jean

fossile (nom masculin)

Semble avoir la même origine que le mot «fosse».

Des «matières fossiles» comme le charbon, le pétrole sont extraites des profondeurs de la terre. Ces matières sont fossiles parce qu'elles sont le produit de la transformation d'anciennes matières vivantes.

Le plus souvent on désigne par le mot «fossile» des restes, empreintes, moulages dans la pierre, de plantes et d'animaux disparus depuis des millions d'années.

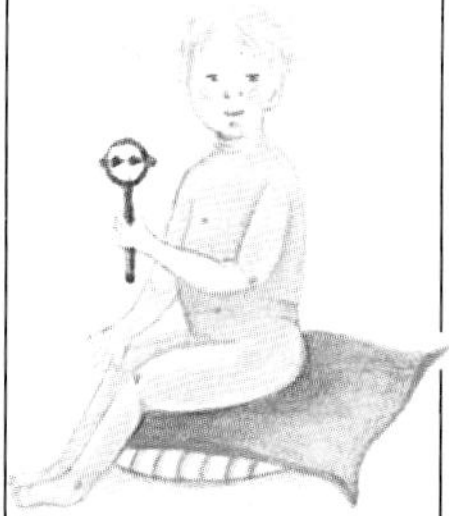

Fossiles qui dormez
dans le fond
de la terre,
Vous étiez
des oiseaux,
des poissons,
des fougères ;
Vous êtes devenus
créatures de pierre !
Et vous faites
rêver les enfants
d'aujourd'hui
Au ciel, à l'océan,
aux forêts, aux
prairies,
De ces temps où
la terre étalait
sa jeunesse,
Sans hommes,
sans autos,
sans matières
plastiques,
Sans microprocesseurs
ni fusées atomiques
Et baladait sa sphère
au gré de sa
paresse !

G. Jean

F

Je fourre
dit la fouine
Ma truffe coquine
Dans cette comptine,
Comme un peu
partout.
Jean-Hugues Malineau

fou (nom masculin)

Provient d'un mot latin qui signifie «soufflet», «gonflé de vent».

Les fous seraient les gens qui n'ont que du vent dans la tête. Une personne qui a perdu la raison.

On dit encore : «un monde fou, rire comme un fou, être fou de joie, de chagrin, un bonheur fou, un amour fou».

On emploie également les mots : «aliéné, dément, déséquilibré, dingo, dingue, timbré», etc.

Le «fou du roi», était un bouffon, une espèce de clown dont le rôle était d'amuser les rois.

fouine (nom féminin)

«Belette des hêtres».

Petit animal carnassier qui s'introduit la nuit dans les poulaillers.

On dit d'une personne maligne, au nez pointu, et qui s'introduit partout qu'elle agit comme une fouine ou même qu'elle «fouine».

fourbu (adjectif)

Cet adjectif qui signifie : «fatigué, harassé, crevé» vous amusera par son origine : «se forboire» en effet, c'était au XVIe siècle, «se fatiguer en buvant à l'excès».

fourmi (nom féminin)

Vous connaissez tous les fourmis et comment elles vivent en société autour de leur reine dans les fourmilières.

Et pourquoi dit-on parfois «avoir des fourmis dans les jambes » ?

frégate (nom féminin)

Dans la marine à voile, la frégate était un navire à trois mâts, léger et rapide.

La frégate est un nom qui désigne également un grand oiseau de mer au vol très rapide.

Qu'elle était belle, ma frégate,
Lorsqu'elle voguait dans le vent !
Elle avait au soleil levant
Toutes les couleurs de l'agate.

Alfred de Vigny

F

Dans la jarre d'eau
Flotte
Une fourmi
Sans ombre

Seishi

frelon (nom masculin)

Espèce de guêpe qui peut atteindre 3 cm de long. Sa piqûre, très douloureuse, peut être mortelle.

freluquet (nom masculin)

Proviendrait du vieux mot «frelude» : «petite chose qui vole dans l'air».

Un freluquet est un jeune homme bien mis, léger, frivole, sans importance. On dit également (j'aime bien ces mots) un «godelureau, un mirliflore».

fretin (nom masculin)

Provient du vieux verbe «fraindre» : «découper en tout petits morceaux».

Le «menu fretin» pour les pêcheurs, ce sont les poissons trop petits que l'on rejette à la mer ou à la rivière.

Du «menu fretin» ce sont aussi des gens sans importance.

Petit poisson deviendra grand,
Pourvu que Dieu lui prête vie.
Mais le lâcher en attendant,
Je tiens pour moi que c'est folie ;
Car de le rattraper, il n'est pas trop certain.
Un carpeau qui n'était encore que fretin
Fut pris par un pêcheur au bord de la rivière.
«Tout fait nombre, dit l'homme en voyant son butin.

Jean de La Fontaine

fronde (nom féminin)

Arme avec laquelle on lance de petits projectiles durs en faisant tournoyer deux lanières. Lorsqu'on lâche une lanière, le projectile part violemment.

Un élastique entre les deux branches d'une petite fourche constitue la fronde des enfants.

Evoquant l'étoile du matin, Victor Hugo écrit :

Je suis le caillou d'or et de feu que Dieu jette
Comme avec une fronde au front noir de la nuit.

Victor Hugo

funiculaire (nom masculin)

D'un mot latin signifiant : «ficelle, cordon».

Un funiculaire est une espèce de train qui grimpe sur de fortes pentes ; très souvent il est tiré par un câble.

A Lyon on appelait le funiculaire de la Croix-Rousse «la ficelle» !

F

furet (nom masculin)

Au sens propre «petit voleur».

Le furet est un petit animal carnivore, fluet et effilé et que l'on introduit dans les terriers pour chasser les lapins de garenne.

Le furet «furette». Et «fureter», c'est chercher un peut partout dans les coins comme le furet qui cherche sa proie.

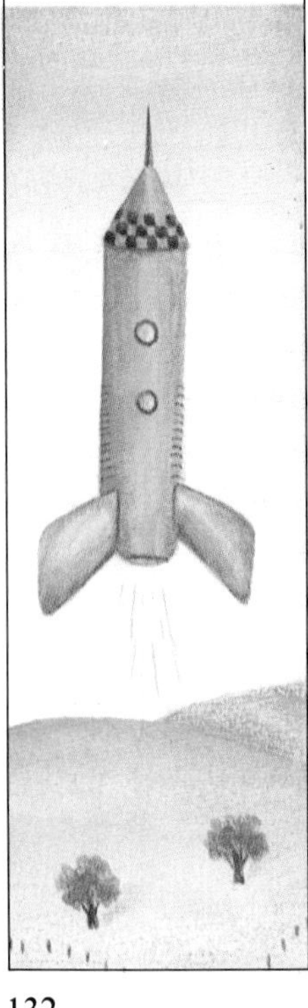

Il court, il court le furet,
Le furet du bois Mesdames,
Il court, il court, le furet,
Le furet du bois joli.
Il est passé par ici,
Il repassera par là.
Il court, il court le furet,
Le furet des bois, Mesdames,
Il court, il court le furet,
Le furet du bois joli.

Vieille chanson française

fusée (nom féminin)

Une fusée est d'abord une pièce de feu d'artifice qui monte dans le ciel poussée par les gaz de combustion de la poudre qu'elle contient.

Un moteur «fusée», est un moteur à réaction, dont la propulsion est assurée par la forte poussée qui provient de la combustion de carburant solide ou liquide.

C'est grâce à des fusées que l'on envoie des satellites dans l'espace et des hommes dans la lune.

La galet ne naquit point galet mais caillou
né caillou le galet roule ensuite sa bosse
infime devenu il poudroie sur la plage
à moins que décoré d'un petit bateau peint
il ne survive et dorme en pressant
quelques pages.

Raymond Queneau

G

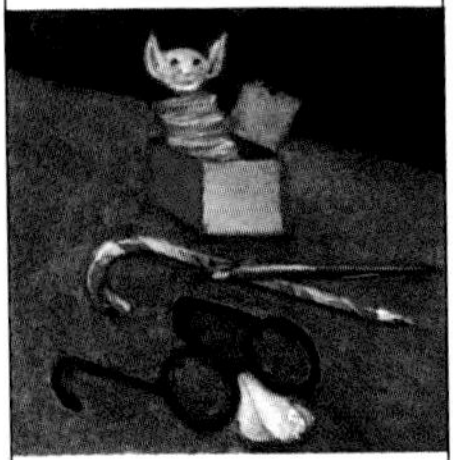

gâchette (nom féminin)

D'après le Grand Dictionnaire Larousse de la langue française : « pièce du mécanisme intérieur d'une arme à feu, immobilisant le percuteur, et actionnée par la détente».

Dans le langage courant on dit «presser sur la gâchette» alors qu'on presse sur la détente.

Et que veut-on dire quand on s'écrie : «Lucky Luke est une bonne gâchette !» ?

gadget (nom masculin)

Mot d'origine anglaise qui signifie : « truc, machin, bidule, babiole, fourbi »... chose qui existe et ne sert à rien ou à pas grand-chose. Quelques gadgets parmi d'autres :

– distributeur automatique de nourriture pour le chien, le chat et le poisson rouge en l'absence du maître.

– stylo sucre d'orge qui ne s'use que si on le suce.

– stylo cure-dent.

– appareil à peler les oranges dans le sens des aiguilles d'une montre.

– machine à ramollir le chouine gomme.

gaffe (nom féminin)

Perche munie d'un crochet pour manœuvrer une barque.

Erreur : faire une gaffe, gaffer.

Faire gaffe : faire attention.

Quand on fait bien gaffe à ce qu'on dit on ne fait pas de gaffes.

Proverbe patagon

galaxie (nom féminin)

Le mot galaxie provient d'un mot grec signifiant «lait». Une galaxie est un immense amas d'étoiles très lointaines. Leur lumière forme comme un lait de lumière. D'ailleurs nous vivons dans une galaxie qui se nomme précisément «la voie lactée».

galère (nom féminin)

Navire à voiles et à rames.

Au XVIIe siècle en France, les criminels étaient condamnés à ramer de longues années sur les galères du roi. D'où l'expression : «être condamné aux galères».

Et que peut signifier l'expression : «mener une vie de galérein» ?

Et sur elle courbé l'ardent Impérator,
Vit dans ses larges yeux étoilés de points d'or,
Toute une immense mer où fuyaient des galères.

José-Maria de Hérédia

G

galet (nom masculin)

En ancien français on l'appelait : «gal». Petit caillou poli par la mer.

galette (nom féminin)

Petit gâteau rond et plat (comme un galet).

Les crêpes de sarrasin en Bretagne.

Un objet aplati et rond : «son chapeau, une vraie galette !»

«Avoir de la galette», c'est avoir de l'argent, en langage familier.

galion (nom masculin)

Grand bateau que les Espagnols employaient au XVIIe siècle pour aller chercher de l'or au Mexique ou en Amérique du Sud.

gaulois (nom masculin)

Nos ancêtres les...

Pour en savoir plus, reportez-vous à «débraillé».

Les gaulois sont dans la
plaine ;
Les gaulois sont dans la plaine
Les gaulois sont toujours dans la plaine...

G

gélinotte (nom féminin)

Oiseau de la famille de la poule, de couleur rousse et qui vit surtout dans les forêts de montagne.

Géline félinotte
Câline calinotte
Linettes et linottes
Dodeline linottes
Qui dordinelinotte
J'endors mes gélinottes
En tenant vos menottes
Vous dormez, je radote.

G. Jean

girafe (nom féminin)

Mammifère d'Afrique caractérisé par un très long cou. Les girafes peuvent atteindre jusqu'à 6 m de hauteur.

«Peigner la girafe», c'est... ?

Elle inventa le télégraphe
l'antenne et la télévision
pour mieux savoir ce qui se passe
aux quatre coins de l'horizon.
Pour mieux entendre pour mieux voir
sans périscope ni radar
sans mirador sans Tour Eiffel
dans le sillage du soleil
arriver le premier avion.
Oui mais oui mais comment fait-on
quand on est tout petit garçon
pour lui dire un mot à l'oreille ?

Gilbert Delahaye

G

giroflée (nom féminin)

On prétend que le nom de cette fleur provient de la ressemblance de son parfum avec l'odeur du clou de girofle !

Et saviez-vous qu'une «giroflée à cinq feuilles» est la marque laissée sur la joue par la main après une gifle ?

girouette (nom féminin)

Provient du verbe «girer»: «tourner» et de «pirouette».

Une girouette est une plaque mince de forme variée, en métal le plus souvent et qui indique, au sommet d'une tour, d'un clocher, la direction du vent.

Une personne qui change d'idée, de sentiment, comme de chemise, est une «vraie girouette».

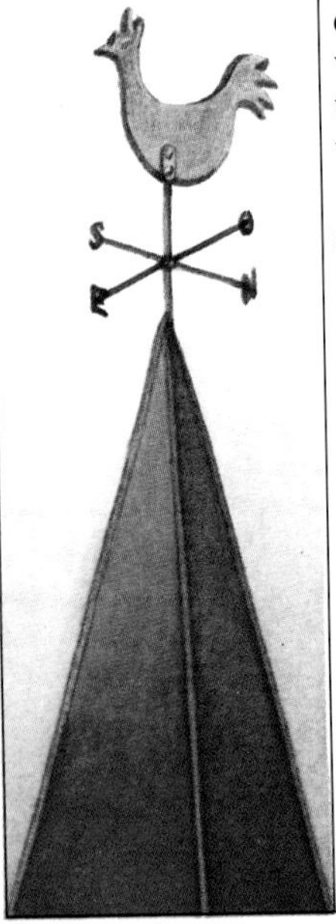

glouton (nom masculin et adjectif)

Ce mot a la même origine que «gosier».

Un glouton est quelqu'un qui a un grand gosier et qui avale beaucoup de nourriture à toute vitesse. On peut encore dire : «goinfre, goulu, gourmand» etc.

Pour moi, satisfaisant mes appétits
gloutons,
J'ai dévoré force moutons.

Jean de La Fontaine

G

glu (nom féminin)

Colle pour prendre les oiseaux.

«Avoir de la glu aux doigts», c'est être maladroit.

Une personne collante est «une vraie glu».

glyptodon (nom masculin)

Gigantesque mammifère de l'ère quaternaire qui pouvait mesurer 3 m de long et était recouvert d'une carapace osseuse.

Ils vivaient en Amérique où l'on a retrouvé des squelettes fossiles de ces «tatous» gigantesques.

C'est nous les gentils glyptodons
Qui deux par deux nous en allons
Brouter dans les rhododendrons.
Avec notre peau en béton
Nous évitons la pollution.

G.Jean

G

gnome (nom masculin)

Un gnome est un petit génie difforme qui, disait-on, gardait les trésors enfouis dans la terre.

Voilà que de partout, des eaux, des monts, des bois,
Les larves, les dragons, les vampires, les gnomes,
Des monstres dont l'enfer rêve seul les fantômes,
Entrent dans le vieux cloître où leurs flots tourbillonnent…

Victor Hugo

goal (nom masculin)

De l'anglais «goal keeper»: «gardien de but».

Au football on dit encore «le gardien» ou «le portier».

goéland (nom masculin)

Nom commun des grosses mouettes. On trouve le goéland à manteau bleu, le goéland à manteau gris, le goéland à manteau noir.

Ne tuez pas le goéland,
Qui plane sur le flot hurlant,
Ou qui l'effleure,
Car c'est l'âme d'un matelot,
Qui plane au-dessus d'un tombeau,
Et pleure, pleure.

Chanson de L. Boyer

goémon (nom masculin)

Mot breton par lequel on désigne le «varech», c'est-à-dire les algues que la mer rejette sur le rivage.

Les goémoniers ramassent le goémon qu'ils font brûler pour en extraire de l'engrais.

Les lames que la mer amincit sur la grève
Où les longs cheveux verts des sombres goémons
Tremblent dans l'eau moirée avec l'ombre des monts.

Victor Hugo

gondole (nom féminin)

La gondole est un bateau, long d'une dizaine de mètres, large de 1 m 30 en moyenne ; l'avant se relève au moyen d'une lame de fer en forme de hache ; l'arrière est en volute. Le gondolier est placé à l'arrière et fait avancer la gondole à l'aide d'une seule rame. Les passagers se tiennent au milieu. Autrefois les cabines des gondoles ou chambres étaient parfois luxueuses.

Est-il utile de vous dire que les gondoles sont les bateaux de Venise, et qu'elles sont toujours noires ?

G

Ding ! ding ! dong !
Bing ! bing ! bong !
King ! king ! kong !
Ging ! ging ! gong !
G. Jean

gong (nom masculin)

Instrument de musique à percussion formé d'une plaque de bronze suspendue et que l'on frappe avec un marteau.

Les Chinois distinguent les gongs mâles ou Yang et les gongs femelles ou Yin qui comportent une ouverture centrale.

Le coup de gong marque la fin d'un round au cours d'un match de boxe.

goulu (nom masculin et adjectif)

De «goule», forme ancienne de «gueule».

Un «goulu» c'est quelqu'un qui avale vite et beaucoup à la fois, un glouton, un goinfre, etc.

L'adjectif signifie également «avide».

gratte-ciel (nom masculin)

Construction, maison très haute, élevée au point de gratter le ciel. Cette spécialité de New York se rencontre maintenant dans presque toutes les grandes villes du monde. Le plus haut gratte-ciel, le Sears Building, à Chicago, mesure 445 mètres.

... derniers gratte-ciel
dont les architectes ont
empilé les étages comme les avares
l'argent.
Paul Morand

grenade (nom féminin)

Fruit du grenadier dont on fait la grenadine.

Projectile qui peut être lancé à la main ou grâce à un lance-grenades.

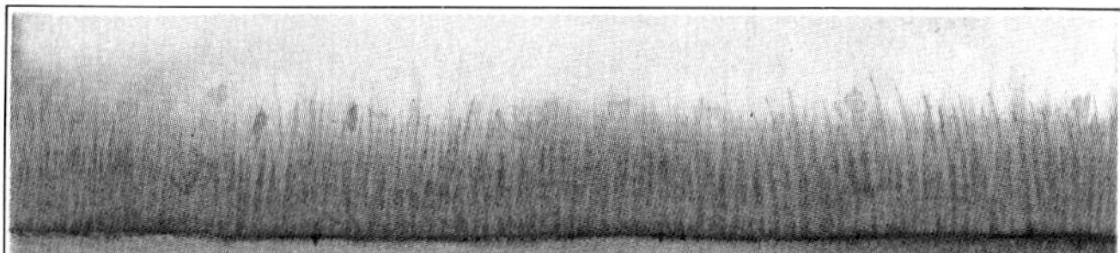

grenouille (nom féminin)

Batracien bien connu des mares et des étangs.

On mange des cuisses de grenouilles au grand étonnement des Anglais.

La grenouille nouille nouille,
Qui se croyait belle belle belle,
Montait à l'échelle chelle chelle,
Et redescendait dait dait,
En se cassant le nez nez nez,
C'est à toi de chercher...

Comptine

grève (nom féminin)

Ce mot a une histoire intéressante :

Une grève est un lieu le long d'une rivière ou de la mer où se déposent du sable et des graviers.

A Paris, une place proche de la Seine s'appelait «place de Grève» (la place de l'Hôtel de Ville aujourd'hui), parce qu'on y trouvait sable et graviers. Sur cette place se réunissaient les ouvriers sans travail.

Et aujourd'hui faire la grève, c'est cesser le travail pour obtenir un certain nombre d'avantages : augmentation de salaire, jours de congés, durée du travail, ou pour protester contre une injustice.

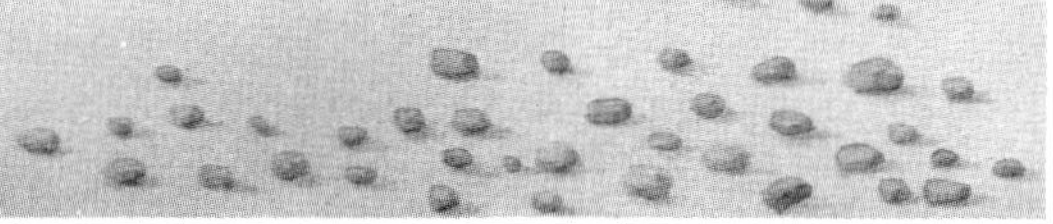

G

grimer (verbe)

«Faire le grime», c'est faire la grimace.

«Grimer quelqu'un» c'est dessiner des rides sur son visage pour qu'il fasse la grimace. Pour un comédien, c'est se modifier le visage en se maquillant.

Faute de grives on mange des merles.
Proverbe

grive (nom féminin)

Oiseau passereau de forte taille, qui adore manger les fruits et les raisins. Très bon à manger en pâté.

grue (nom féminin)

Oiseau échassier à longues pattes et à long cou.

Par comparaison on nomme «grue» l'appareil que vous connaissez et qui sert à soulever et déplacer des charges.

«Faire le pied de grue», c'est attendre longtemps, comme l'oiseau, immobile sur une patte.

guet-apens (nom masculin)

D'une expression latine signifiant «guetter en examinant avec attention».

Un «guet-apens» c'est une embuscade dressée contre quelqu'un pour le voler ou le tuer.

G

gueule (nom féminin)

D'un mot latin signifiant «œsophage, gosier, gorge, bouche, palais».

La gueule c'est «la bouche des animaux». Mais on parle surtout de «gueule» pour les carnassiers et quand on veut évoquer l'ouverture de la bouche.

guignol (nom masculin)

Guignol est le nom d'une célèbre marionnette lyonnaise.

Il s'est appelé Guignol parce qu'il est malin, et «guigne» (regarde) de tous les côtés. Son compère, un ivrogne amateur de beaujolais, se nomme Gnafron. Guignol a pour bonne habitude de rosser les gendarmes.

On dit également «un guignol» pour désigner un théâtre de marionnettes : le «guignol des Champs Elisées» à Paris.

Traiter une personne de «guignol» c'est la traiter de pantin ridicule.

G

guimbarde (nom féminin)

Ce mot provient d'un mot provençal qui signifiait : «aller et venir», «bouger rapidement».

La «guimbarde» était une danse où l'on se remuait beaucoup.

C'est également un drôle d'instrument de musique, composé d'une lame d'acier que l'on fait vibrer en utilisant sa bouche comme caisse de résonance.

Une «guimbarde» est une vieille voiture très usagée qui secoue beaucoup ses passagers.

guitare (nom féminin)

Vous connaissez certainement cet instrument de musique à cordes pincées ; et vous savez distinguer les guitares sèches, les guitares électriques, les guitares basses et la guitare hawaïenne.

Guitare de l'auberge des chemins
Jamais tu ne fus, ni ne seras poète.

Tu es une âme qui dit son harmonie
Solitaire aux âmes passagères.

Et quand le voyageur t'écoute,
Il sait qu'il écoute un air de sa terre.

Antonio Machado

Sara belle d'indolence,
Se balance
Dans un hamac, au-dessus
Du bassin d'une fontaine
Toute pleine
D'eau puisée à l'Ilyssus.

Victor Hugo

H

haler (verbe)

«Tirer vers soi».

Les marins disent «haler un câble, une amarre, un bateau». Les personnes qui halaient les bateaux le long des rivières et des canaux étaient des «haleurs» : «les haleurs de la Volga».

Ne pas confondre «haler» et «hâler» avec un â qui provient d'un verbe latin signifiant «faire rôtir». Se faire hâler, c'est se faire rôtir au soleil !

hallebarde (nom féminin)

Mot allemand qui signifie «hache à hampe».

Arme composée d'une longue tige de bois sur laquelle est fixé un fer pointu d'un côté et en forme de lame de hache de l'autre.

On dit par exagération quand il pleut beaucoup : «il pleut des hallebardes la pointe en bas !»

hamac (nom masculin)

Mot venu de la langue parlée par les Indiens d'Haïti.

Un hamac est un lit de toile ou de filet suspendu entre deux poteaux ou deux arbres et dans lequel on se repose ou on dort en se balançant.

Sur les bateaux, les marins dorment souvent dans des hamacs.

H

hampe (nom féminin)

Bois de la lance.

La tige de bois qui supporte un drapeau, une croix.

hamster (nom masculin)

Petit mammifère vivant à l'origine dans les champs. Devenu un des compagnons familiers des petits enfants. Se nourrit de graines, de carottes, de salade qu'il met en réserve dans ses bajoues. Mange également le papier, les tissus, les tapis, les meubles à la grande joie des mamans.

Monsieur le hamster
Grignote grignote
Graines et carottes
Le bois et le fer
Chaussons et culottes
Toutes les matières
La paille et le verre.
Monsieur le hamster
Grignote grignote
L'endroit et l'envers
Et puis il s'endort
Et grignote encore
La rave et le chou
Dans ses rêves doux.

G. Jean

hanneton (nom masculin)

Le nom de cet insecte proviendrait d'un vieux mot signifiant «coq».

Le hanneton est un insecte très nuisible, surtout par sa larve, le « ver blanc», qui fait des ravages en se nourrissant des racines des plantes.

harde (nom féminin)

Une harde, c'est un troupeau de cerfs, de daims.

Des hardes, ce sont de vieux vêtements.

H

harmonie (nom féminin)

Des sons sont harmonieux quand ils s'accordent.

En musique l'harmonie est la combinaison heureuse de plusieurs sons qui se font entendre en même temps.

Que signifie alors «l'harmonie des couleurs, des sentiments», etc. ?

Entre deux individus, l'harmonie n'est jamais donnée, elle doit indéfiniment se conquérir.

Simone de Beauvoir

harnacher (verbe)

C'est équiper un cheval, une mule de son harnais, c'est-à-dire de tout ce qui est indispensable à l'animal pour porter le cavalier, ou tirer la voiture.

Le harnachement se dit parfois de l'accoutrement bizarre d'une personne.

harpe (nom féminin)

Instrument de musique très ancien, qui a la forme d'un triangle et dont on pince les cordes.

La harpe celtique est une petite harpe dont jouent les poètes de Bretagne et d'Irlande.

La harpe éolienne est une harpe dont les cordes vibrent sous l'effet d'Eole, le vent.

Toi qui es là, dressée sur la paroi
de lierre de l'antique terrasse,
mystérieuse harpe
d'une muse des nues,
élève et me répète
ta douce mélopée !

Edouard Mörike

harpie (nom féminin)

Dans la mythologie grecque les «harpies» étaient trois sœurs : des monstres ailés, à corps d'oiseau, à tête de femme, aux griffes aiguës, et qui tourmentaient les âmes par des méchancetés incessantes.

harpon (nom masculin)

Dans le vieux dictionnaire de Furetière on trouve la description des vrais harpons : «Dard attaché à une corde avec lequel on prend des baleines. Ce harpon est un grand javelot forgé de fer battu... ayant une pointe acérée tranchante et triangulaire en forme de flèche. Au bout en haut est gravé le nom du harponneur... et au bout de la corde tient une courge sèche qui suit la baleine...»

hémisphère (nom féminin)

La moitié d'une sphère.

Chaque moitié du globe terrestre de part et d'autre de l'équateur : au nord, l'hémisphère nord ! et au sud... ?

hennir - hennissement
(verbe et nom masculin)

J'aime ces mots car en les lisant on entend les cris des chevaux.

hérisson (nom masculin)

Mammifère insectivore dont le corps est hérissé de piquants.

Brosse métallique en forme de boule «hérissée» de piquants et qui servait à ramoner les cheminées.

Le hérisson
Est bon garçon
A sa façon,
Mais c'est un drôle
de paillasson !

G. Jean

H

Le saule
contemple à l'envers
l'image du héron.

Kikaku

héron (nom masculin)

Oiseau «au long bec, emmanché d'un long cou» et sur de longues pattes, c'est-à-dire un échassier de nos régions.

Le hibou en dit long
Sur le domaine.

Guillevic

hibiscus (nom masculin)

Plante, arbuste qui a des fleurs vivement colorées. Et le mot est si beau à entendre.

«La fleur éphémère en est blanche le matin, rose à midi, ponceau le soir» (Littré).

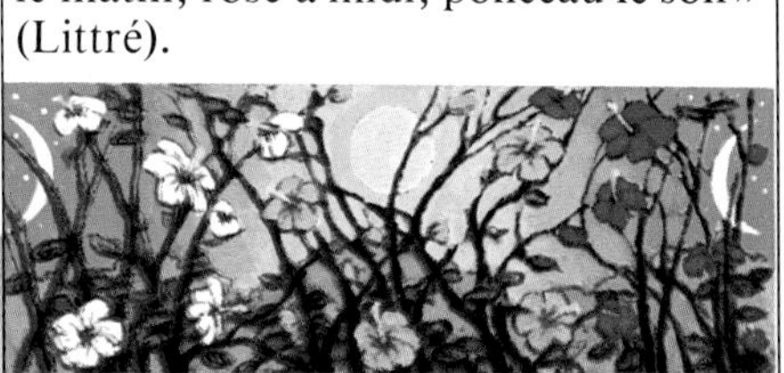

hibou (nom masculin)

Oiseau rapace nocturne qui a des oreilles ou aigrettes à la différence des chouettes qui n'en n'ont pas.

H

hiéroglyphe (nom masculin)

S'emploie le plus souvent au pluriel.

C'est ainsi que l'on appelle l'écriture des anciens Egyptiens. A l'origine chaque signe est un dessin qui représente la chose dont on parle. C'est Champollion qui a le premier réussi à déchiffrer ces signes.

D'une écriture illisible on dit qu'elle constitue de véritables «hiéroglyphes».

hippocampe (nom masculin)

Littéralement «cheval courbe». Petit poisson à la queue courbe, dont la tête ressemble à une tête de cheval et qui se tient verticalement dans l'eau.

Monstre mythologique moitié cheval moitié poisson.

Le hublot est une rondelle de soleil.
Blaise Cendrars

hublot (nom masculin)

Petite fenêtre ronde ou rectangulaire pratiquée dans la paroi d'un bateau ou d'un avion.

H

hulotte (nom féminin)

Grande chouette que l'on appelle encore «chat-huant»; car son cri nocturne ressemble au miaulement du chat.

Il entendit le chien aboyer deux ou trois fois encore, puis le cri de la hulotte à la lisière toute proche du taillis, puis il n'entendit plus rien : la terre autour de lui était morte comme une plaine de neige.

Julien Gracq

hurluberlu (nom masculin)

On pense que ce mot qui dit bien ce qu'il veut dire tant il est drôle à prononcer, signifie littéralement : «homme aux cheveux hérissés» (comme sur une «hure») et qui n'est pas très malin.

Un hurluberlu est un personnage extravagant, évaporé, écervelé, farfelu...

hyène (nom féminin)

Mammifère carnassier, vivant surtout en Afrique et qui se nourrit essentiellement de cadavres.

De tout ce qui est mort
L'hyène fait son repas.
Mais, crevée, à son corps,
Nul charognard ne mord
Pas même le chacal.

Bernard Lorraine

Devinette :
Si les icebergs étaient des ice creams, je mangerais la partie cachée. Pourquoi ?
(Vous trouverez la réponse dans la définition de ce mot.)

I

ibis (nom masculin)

Oiseau échassier c'est-à-dire à longues pattes, à très long cou et qui vit en Afrique.

C'était un oiseau sacré chez les anciens Egyptiens. Ils disaient : «Qui a mis dans l'ibis la sagesse, donné au coq l'intelligence ?» Car ils attribuaient à l'ibis et au coq la faculté de prévoir l'avenir : l'ibis annonçait les crues du Nil et le coq... le lever du soleil.

iceberg (nom masculin)

Mot anglais signifiant «montagne de glace».

Un iceberg est un gros bloc de glace qui se détache de la banquise ou des glaciers polaires et flotte sur la mer créant de réels dangers pour les navires. Un iceberg n'émerge que du 1/10e de son volume.

idole (nom féminin)

Portrait, image d'un dieu.

Quelqu'un qu'on adore comme un dieu.

Se dit à propos d'une vedette de la chanson ou du sport. Une idole a ses fans !

I

igloo (nom masculin)

On prononce «iglou».

Maison en langue esquimau. Habitation en forme de hutte ou de coupole construite avec des blocs de neige durcie ou de glace.

iguanodon (nom masculin)

Grand reptile à deux pattes des temps préhistoriques et qui pouvait atteindre jusqu'à deux mètres de longueur.

I

immigrant (nom masculin)

Ceux qui vivent et travaillent dans un pays qui n'est pas le leur. Aujourd'hui on dit également «les migrants». Je n'ai pas choisi ce mot par tout ce qu'il peut suggérer mais parce que les immigrants sont des femmes, des hommes, des enfants déracinés et qu'il faut fraternellement aider à vivre avec nous.

inca (nom masculin)

L'Inca était le roi chez les Indiens du Pérou avant la conquête espagnole (XVe siècle). Les «Incas» étaient les sujets de ce roi. Profitons-en pour vous rappeler que les Incas vivaient sur le territoire du Pérou actuel, les Aztèques sur le territoire du Mexique, les Mayas au Mexique également et en Amérique Centrale.

incognito (nom masculin et adjectif)

Mot italien signifiant «inconnu».

Voyager «incognito» c'est voyager sans vouloir se faire reconnaître.

«Garder son incognito» (le mot est alors un nom) c'est désirer ne pas se faire reconnaître.

Quand Monsieur Incognito
Prenait sa petite auto
Il fallait se lever tôt
Pour pouvoir lui dire un mot
Il n'était ni laid ni beau
Ni grand ni petit ni gros
Il n'avait pas de chapeau
Pas de ventre pas de dos
Et ne partait au boulot
Qu'avec son incognito.

G. Jean

indien (nom masculin)

I

Habitant de l'Inde.

Mais comme Christophe Colomb croyait être arrivé en Inde, on avait l'habitude d'appeler les territoires de l'Amérique «les Indes occidentales». Les premiers habitants de ces régions furent appelés «Indiens», ou «Indiens d'Amérique». Et on a plutôt l'habitude d'appeler les habitants de l'Inde, des «Hindous».

Les Indiens d'Amérique constituaient des tribus : les Apaches, les Sioux, les Cheyennes, les Mic-Macs, les Iroquois, etc. Ils furent en grande partie massacrés par les Américains blancs au cours des guerres indiennes. Ils survivent dans des réserves et on les voit dans les westerns.

Voici les bisons, dit le Grand Esprit.
Ils seront votre nourriture et votre habillement.
Si vous deviez les voir périr et disparaître de la surface de la terre, alors vous sauriez que la fin de l'Homme Rouge est proche et que le soleil se couche pour eux.

Légende Kiowa

indigo (nom masculin, adjectif)

Couleur d'un beau bleu tirée jadis de l'indigotier, un arbre qui pousse dans les Indes, d'où son nom. Une des sept couleurs de l'arc-en-ciel.

A quelques centaines de mètres, une barque blanche incroyablement lumineuse, glissait sur l'indigo de la mer.

Roger Martin du Gard

iris (nom masculin)

Nom latin de l'arc-en-ciel qu'on appelait parfois «l'écharpe d'Iris».

Le mot «iris» désigne aujourd'hui une plante à fleurs que vous connaissez bien. Ou encore la membrane diversement colorée de l'œil, percée en son milieu par la pupille.

J'aime beaucoup entendre l'adjectif «irisé» : «qui prend toutes les teintes de l'arc-en-ciel».

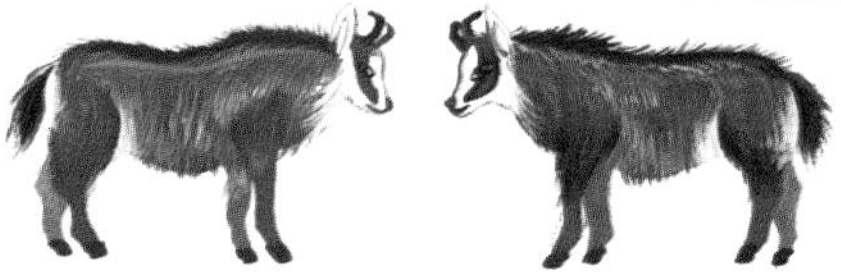

I

isard (nom masculin)

L'origine de ce mot est curieuse ; il vient d'un mot latin qui signifiait «étoile», puis «tache blanche» que certains animaux ont sur le front, comme les chamois. Et en 1553 le naturaliste Pierre Belon désigne par le nom «isard» les chamois des Pyrénées.

Je suis l'enfant
de la montagne,
Comme l'isard,
comme l'aiglon.
Théophile Gautier

isba (nom féminin)

Mot russe signifiant «hutte de paysan».

Une «isba» est une petite maison de bois, dans les régions du Nord de l'Europe et en particulier en Russie du Nord.

isthme (nom masculin)

Passage étroit.

Rabelais parlait même de «l'isthme du gosier».

Plus généralement un isthme est un mot qui désigne une mince bande de terre entourée d'eau et qui relie deux territoires, deux régions : l'isthme de Panama qui relie les deux Amériques, l'isthme de Corinthe qui relie la Grèce continentale à la presqu'île du Péloponnèse.

italique (nom masculin et adjectif)

Qui se rapporte à l'Italie ancienne.

Mais j'ai retenu ce mot pour vous qui êtes de grands lecteurs, car on appelle «italiques» les caractères d'imprimerie inventés par un imprimeur italien au début du XVIe siècle. *Les caractères «italiques» sont ainsi penchés.*

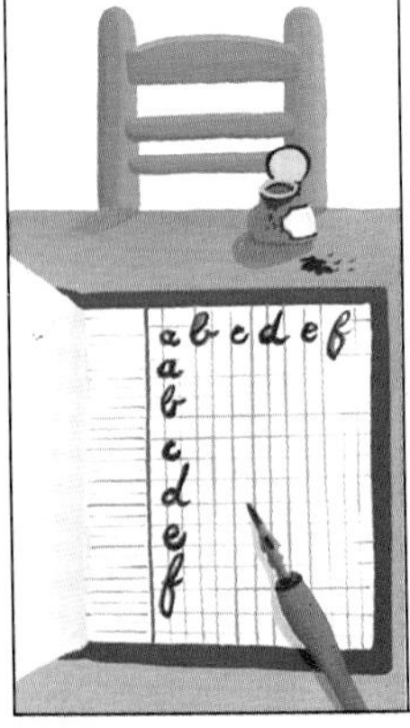

Ecoute ami,
ma voix au timbre câlin
des profondeurs du plus vil des tombeaux
remontant jusqu'à toi comme un air de jazz.
Ecoute ami,
Ecoute encore ma trompette argentine.

Bernard Zadi Zaourou

J

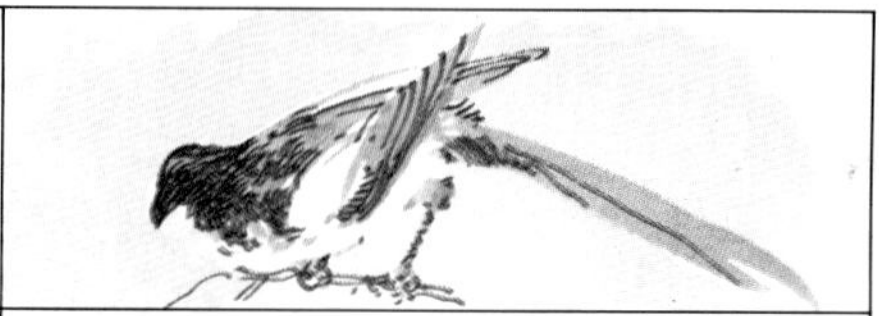

jaboter (verbe)

Pour certains oiseaux pousser des cris en secouant le «jabot» (le renflement du cou).

jacasse (nom féminin)

Nom familier de la pie qui, comme le geai «fait le Jacques». D'où paraît-il, «jacasser».

Qui agace la jacasse fracasse l'espace

Proverbe farfelu

jacinthe (nom féminin)

Une légende grecque raconte que le jeune spartiate «Hyacinthus» fut transformé par Apollon en une fleur : la jacinthe (son ancien nom était «hyacinthe»).

La «jacinthe» ou «hyacinthe» est également une pierre précieuse d'un jaune rouge.

jacquemart (nom masculin)

Un «jacquemart» ou «jacquemard» est un automate qui frappe les heures à l'aide d'un marteau, sur une cloche.

Mais bientôt mon oreille n'interrogea plus qu'un silence profond. Les lépreux étaient rentrés dans leurs chenils, aux coups du Jacquemard qui battait sa femme.

Aloysius Bertrand

J

jarre (nom féminin)

Mot qui provient de l'arabe «djarra» et qui désigne un grand vase de grès, de terre cuite dans lequel on conserve de l'eau, de l'huile, des olives, etc.

La jarre peut-elle être plus belle que l'eau ?

Paul Eluard

jars (nom masculin)

Le mâle de l'oie.

Savez-vous que le verbe qui indique le cri du jars est «jargonner» d'où le mot «jargon».

jaser (verbe)

«Parler» ou encore «bavarder, caqueter, palabrer, babiller, jaboter, dégoiser, potiner, ragoter», etc.

Jaser de quelqu'un ce n'est pas toujours en dire du bien.

javelle (nom féminin)

Mot d'origine gauloise désignant des objets, des branches dont on fait des tas, des fagots.

Tas de céréales fauchées qui restent sur le sol avant d'être façonnées en gerbes.

Et comme en la saison le rustique
moissonne
Les ondoyants cheveux du sillon blondissant,
Les met d'ordre en javelle, et du blé
jaunissant
Sur le champ dépouillé mille gerbes
façonne.

Joachim du Bellay

J

javelot (nom masculin)

Arme en forme de grande flèche ou de petite lance très pointue qu'on lançait à la main ou avec l'aide d'une machine de guerre. On disait également «javeline».

Tige de bois garnie d'une pointe de métal, mesurant 2,60 m au moins, pesant au minimum 800 g et que l'on lance le plus loin possible.

Il n'est qu'un seul endroit où la chair est visible, juste à la clavicule, où la gorge et le cou s'attachent aux épaules, et c'est par là que vient la mort la plus rapide. C'est là précisément que le divin Achille contre Hector plein d'ardeur pousse sa javeline. La pointe alors tout droit perce la tendre gorge. Pourtant le javelot de bronze lourd n'a pas traversé la trachée. Hector pourra répondre et dire quelques mots.

Homère

J

jazz (nom masculin)

A l'origine, au début du XXe siècle, on parlait de «jazz band», musique populaire jouée par un groupe (une bande) de musiciens noirs de la ville de La Nouvelle-Orléans aux Etats-Unis.

Le jazz, qui est une musique s'inspirant de la musique des noirs d'Afrique, est caractérisé par le rythme, l'improvisation et connaît de très grands artistes : Louis Armstrong, Duke Ellington, Miles Davis, Charlie Parker, etc.

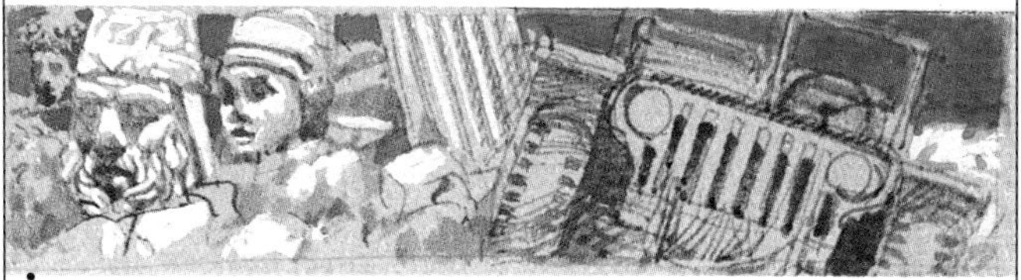

jeep (nom féminin)

Prononcer «djipe».

Ce mot anglo-américain est la transcription des initiales G.P. «general purpose» : d'usage général. La «jeep» est une automobile qui va partout, et a d'abord été en service dans l'armée américaine, puis sous une forme ou une autre, dans toutes les armées modernes.

jet (nom masculin)

Mot anglais signifiant «fusée» et dont on se sert pour nommer les avions à réaction. Prononcer : «djète».

Le «jumbo jet», le «jet éléphant» est le gros Boeing 747.

J

jockey (nom masculin)

Mot anglais, par lequel on désigne les hommes petits et légers qui montent les chevaux de course.

On se grandissait, on suivait des yeux les taches éclatantes des jockeys qui filaient dans le soleil.

Emile Zola

jonque (nom féminin)

Bateau en usage en Extrême Orient, particulièrement en Chine et dont les voiles sont tendues à l'aide de tiges de bambou.

Dans certains ports, à Hong-Kong par exemple, les jonques serrées les unes contre les autres servent de maisons d'habitation.

Et j'assiste à la montée vers moi de tout le peuple de la mer, la procession des navires remorqués par la marée comme sur une chaîne de toue ; les jonques ventrues tendant au vent de guingois quatre voiles raides comme des pelles, celles de Fou-tchéou qui portent, ficelé à chaque flanc, un énorme fagot de poutres.

Paul Claudel

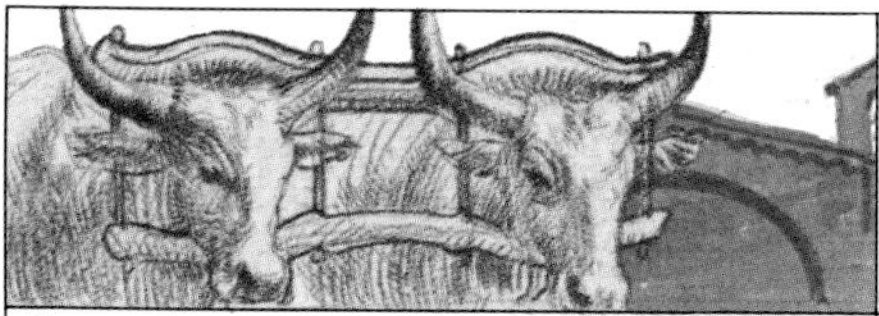

J

joubarbe (nom féminin)

Barbe de «Jovis» c'est-à-dire de «Jupiter».

La joubarbe est une plante à tige très velue, à fleurs roses ou jaunâtres.

joug (nom masculin)

Anciennement fourche sous laquelle on faisait passer de force les ennemis vaincus pour les humilier.

Dans ce sens, «subir le joug» de quelqu'un c'est subir son pouvoir.

Le joug est également la pièce de bois que l'on place sur le front des bœufs pour les faire tirer une charrue, un chariot.

joute (nom féminin)

Lutte, combat d'un homme contre un autre homme ; tournoi.

Dans la «joute lyonnaise», deux hommes placés debout à l'arrière d'une barque cherchent à se faire tomber à l'eau à l'aide d'une perche.

J

jubiler (verbe)

Pousser des cris de joie ; se réjouir bruyamment. La «jubilation» est l'état de celui qui jubile.

Aux moments difficiles,
Ne te fais pas de bile,
Jubile ! Jubile !
C'est beaucoup plus facile
Que de se lamenter
Comme les imbéciles
Dans leur vie bien tranquille
Qui n'osent pas chanter
Plus fort que le malheur
Pour délivrer leur cœur !

G. Jean

judo (nom masculin)

Ce mot japonais signifie «moyen doux». Le judo, dérivé du «jiu jitsu» (art de la souplesse) est un sport de combat où la souplesse est plus importante que la force pure. Une personne qui pratique le judo est un «judoka».

jungle (nom féminin)

Mot anglais venant d'une langue hindoue et signifiant «végétation luxuriante et épaisse».

Des bambous métalliques partent comme des fusées ; des cocotiers font éclater en plein ciel leurs gerbes pluvieuses ; des péronias dressent comme des baldaquins d'énormes plumes pourpres, d'énormes plumes qui sont des fleurs.

F. de Croisset

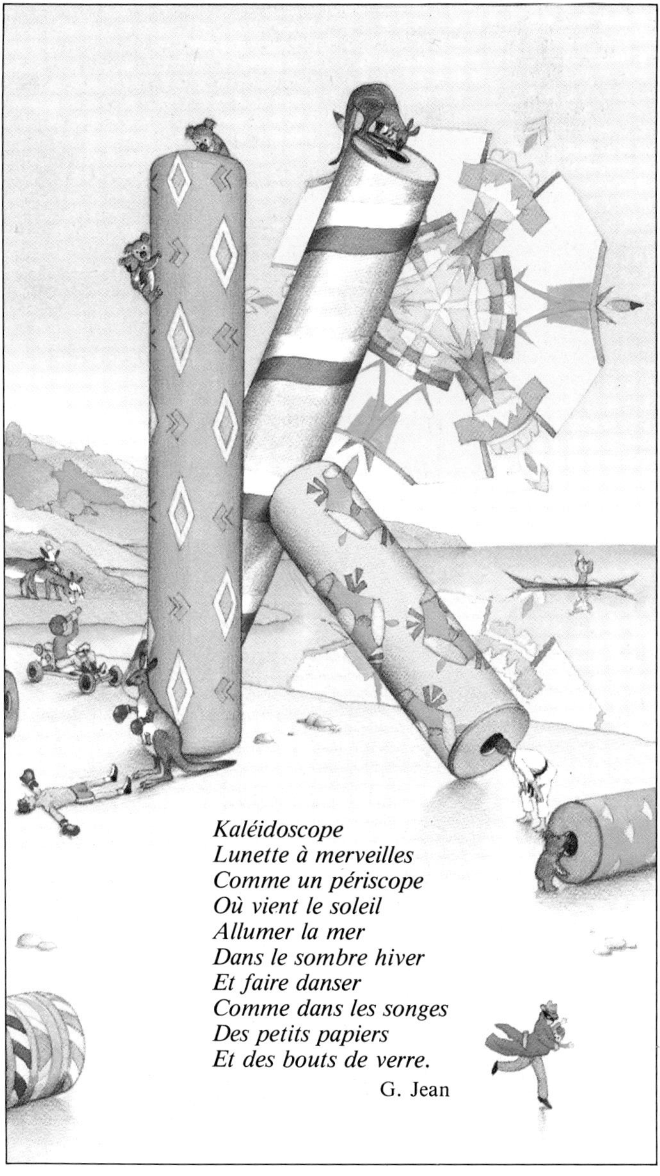

Kaléidoscope
Lunette à merveilles
Comme un périscope
Où vient le soleil
Allumer la mer
Dans le sombre hiver
Et faire danser
Comme dans les songes
Des petits papiers
Et des bouts de verre.

G. Jean

K

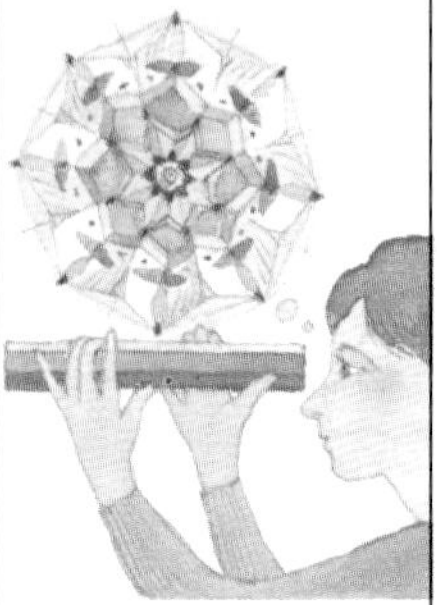

kaléidoscope (nom masculin)

La composition de ce mot est amusante : on y trouve en effet trois mots grecs dont l'un signifie «beau», le second «apparence», le troisième «observer».

Le kaléidoscope nous permet de «voir la beauté de l'apparence».

Vous connaissez peut-être cette espèce de lorgnette dans laquelle de petits morceaux de verre coloré ou de papier font voir des merveilles en se répétant, en se reflétant, en se multipliant dans de petits miroirs.

kangourou (nom masculin)

Mammifère d'Australie dont la femelle porte ses petits dans une poche ventrale. Et qui grâce à ses très fortes pattes arrière et à sa très forte queue... fait des bonds... fait des bonds... de plusieurs mètres pour se déplacer.

Dans la poche du kangourou
J'ai trouvé me croirez-vous
Un bouton de militaire,
Une écharpe, un dromadaire,
Une épingle de nourrice,
Un vieux trombone à coulisse,
Une souris à moteur,
Avec un boulier compteur,
Un appareil de photo,
Avec un petit oiseau,
Et puis un livre d'images
Pour que son bébé soit sage
Quand on lui fait son portrait
Tout nu sur son tabouret.

Gilbert Delahaye

K

karaté (nom masculin)

Sport de combat d'origine japonaise et dans lequel on n'utilise que des moyens naturels . C'est-à-dire aucune arme.

Une personne qui fait du karaté est un «karatéka».

karting (nom masculin)

Course de «kart». Un kart est un petit véhicule à moteur, à quatre roues, sans boîte de vitesses, sans carrosserie ni suspension, et que certains construisent entièrement.

kayak (nom masculin)

Mot esquimau qui désigne une embarcation à une place formée d'une carcasse en bois sur laquelle sont tendues des peaux de phoque. Le kayak ne peut pas couler et les esquimaux, à l'aide de ces embarcations qui glissent au ras de l'eau, pêchent et surtout chassent les phoques.

On appelle «esquimautage» «l'acrobatie d'un kayakiste qui se retourne dans l'eau avec son embarcation et se redresse ensuite» (Petit Larousse).

K

kidnapping (nom masculin)

Mot anglais. Action d'enlever un enfant pour le rendre éventuellement contre une rançon.

Mais on peut également «kidnapper» un grand personnage, une vedette, etc. Celui qui exécute un «kidnapping» est un «kidnappeur».

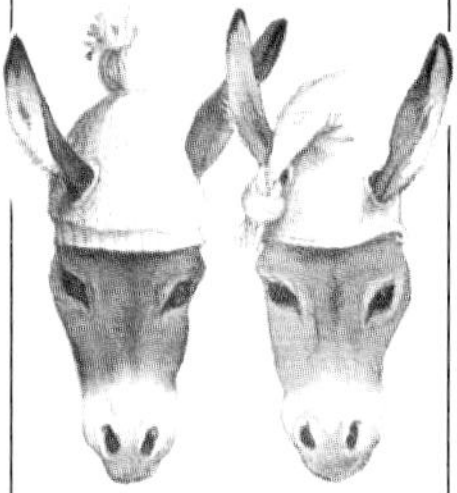

kif-kif (adjectif)

En arabe : «pareil-pareil».

C'est bonnet blanc ou blanc bonnet, ou comme dirait notre oncle, c'est kif-kif bourricot.

Anatole France

knock-out (adjectif)

Prononcer soit «nokaout», soit «knokout». Cette expression anglaise signifie «faire tomber en cognant». Un boxeur met «knock-out» (K.O.) son adversaire quand il l'envoie au tapis pour le compte (plus de 10 sec.).

koala (nom masculin)

Mammifère grimpeur vivant en Australie et se nourrissant uniquement de feuilles d'eucalyptus. «L'ours en peluche des enfants», dit un dictionnaire, est une reproduction assez exacte du koala.

Troupeaux d'alpacas
Totems de l'Inca
Sur le toit des Andes
Vous buvez aux ondes
Du Titicaca.
Troupeaux de lamas
Que toujours charma
L'aigre flûte andine
Qui berce en sourdine
La Paz et Lima.

Bernard Lorraine

L

labyrinthe (nom masculin)

«Lieu où il est aisé de s'égarer, qui est coupé de divers chemins qui rentrent l'un dans l'autre et où on a peine à trouver l'issue qui est cachée.» (Furetière)

On dit encore : «dédale», «embrouillamini».

Certaines dames, au XVIIe siècle, disaient que se peigner c'était «se délabyrinther les cheveux !»

lagune (nom féminin)

D'un mot italien signifiant «fossé».

Une lagune est une étendue d'eau située entre la terre et une bande de sable qui la sépare de la pleine mer. Venise est une ville construite sur les îles se trouvant à l'intérieur d'une lagune.

Les lagunes, autrefois, étaient des régions malsaines où se développaient des maladies comme la malaria.

Au ras de la lagune, le vent
de l'Adriatique courait en creusant l'eau grise.

Emmanuel Roblès

lama (nom masculin)

Animal ruminant de la même famille que le chameau et qui vit dans les montagnes des Andes, en Amérique du Sud.

On raconte que les lamas crachent dans la figure des gens quand ils sont en colère.

La «vigogne» est un lama sauvage, l'«alpaga» un lama domestique.

laminaire (nom féminin)

Algues marines de couleur brune qui forment de longs rubans, comme de fines lames, d'où leur nom.

Quand nous nageons en silence
Dans la mer claire de nos songes
Les laminaires se balancent,
Et leurs longs rubans se soulèvent
Et dorment comme nos souvenirs.

G. Jean

lampadophore
(nom masculin et adjectif)

C'est le nom bizarre d'un «porte-flambeau». Mais c'est un mot tellement doux à entendre !

lamparo (nom masculin)

Mot provençal dont on se sert en Provence pour désigner la lampe utilisée en Méditerranée, pour attirer le poisson, la nuit.

Ce genre de pêche s'appelle «pêche au lamparo».

L

lampyre (nom masculin)

Savez-vous que ce nom est le nom savant du «ver luisant», cette petite «lampe» des belles nuits d'été ?

lande (nom féminin)

Terre sableuse non cultivée, souvent couverte d'ajoncs, de genêts, de bruyère.

Et tu tâtais la lande
Et tu voulais crier
Mais tu n'as jamais cru
Que crier pût servir
Quand c'était dans l'espace
Horriblement vacant.
Guillevic

Nuit d'été
Sous le ciel
de lapis-lazuli,
Le parc enchanté
baigne en ses
ténèbres molles.
Albert Samain

lapis-lazuli (nom masculin)

Signifie littéralement «pierre bleu d'azur».

«Espèce de pierre précieuse bleue avec des filets d'or et quelquefois mêlée de pourpre. On le trouve parmi les sables de la mer et dans les cavernes qu'elle a creusées en morceaux carrés ou ovales. Il est plus tendre que l'agate. On en fait des vases, et on en orne des cabinets.» (Furetière)

L

lapon (nom masculin)

Habitant de la Laponie, province du Nord de la Suède, tout près du pôle.

Dehors on entend le vent
pleurer ; les méchants ours blancs
grondent en grinçant des dents
et depuis longtemps est mort
le pâle soleil du Nord !
Mais dans leur hutte enfumée
bien soigneusement fermée
les braves petits lapons
boivent l'huile de poisson.

Georges Fourest

larigot (nom masculin)

Petite flûte. Mais également «façon de boire», comme si on jouait de la flûte, d'où l'expression : «boire à tire-larigot».

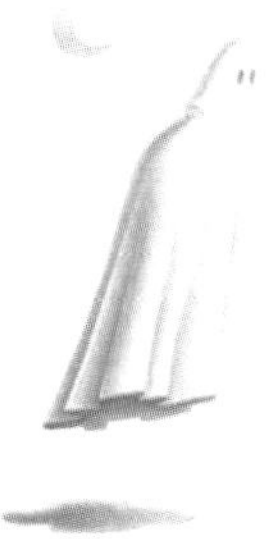

larve (nom féminin)

L'origine de ce mot est curieuse. Le mot latin «larva», désignait un fantôme ou plutôt le masque d'un fantôme.

La larve est la première forme d'un insecte ; comme si elle recouvrait le futur insecte complet comme un masque !

lascar (nom masculin)

Mot d'origine portugaise qui signifiait «soldat mercenaire».

On appelait également ainsi les matelots de l'océan Indien.

Un lascar aujourd'hui est quelqu'un de malin, de débrouillard. On dit «c'est un drôle de lascar».

L

lasso (nom masculin)

C'est le mot «lacet», en espagnol.

En Argentine un lasso est une corde terminée par une boule de plomb et dont on se sert pour entraver les animaux, chevaux, taureaux et bœufs.

Chez les cow-boys du far-west le lasso est la corde terminée par un nœud coulant dont on se sert pour attraper les chevaux ; on la lance en la faisant tournoyer au-dessus de la tête.

Pour attraper les chevaux
Pour entraver les toros
Pour étrangler les zozos
Pour épater les gogos
Pour arrêter le métro
Il n'existe qu'un lasso :
C'est le lasso de Zorro !

G. Jean

légende (nom féminin)

Le mot vient d'un mot latin qui signifie : «chose qui doit être lue».

Une légende est un récit qui raconte des faits et aventures merveilleux, le plus souvent en transformant des événements historiques.

On dit d'un personnage qui accomplit durant son existence des actions héroïques «qu'il entre vivant dans la légende».

Une légende, c'est également une phrase qui commente un dessin, une estampe, une photographie, une caricature.

Tous les pays qui n'ont plus de légendes
Seront condamnés à mourir de froid.

Patrice de La Tour du Pin

L

lentille (nom féminin)

Vous savez ce que sont les lentilles : des légumes !

Quant aux lentilles des appareils photo, des télescopes, des microscopes, on les appelle ainsi parce que leur forme rappelle celle des graines que nous mangeons.

leurre (nom masculin)

Vieux mot qui signifiait «appât».

Le leurre était en effet le morceau d'étoffe rouge garni de plumes à l'aide duquel le fauconnier faisait revenir le faucon sur son poing.

Un leurre est donc un appât qui ressemble à une mouche ou à un petit poisson et dont on se sert pour la pêche au lancer.

Et «se leurrer», c'est se tromper.

lézard (nom masculin)

Petit reptile à quatre pattes qui vit dans les murailles, les pierres et qui aime sortir pour se chauffer au soleil. D'où l'expression «faire le lézard» pour se bronzer au soleil.

On distingue, entre autres, les lézards gris et les lézards verts.

Une «lézarde» c'est une fente dans un mur qui rappelle la forme d'un lézard.

Mais où est donc Ornicar ?
Il est parti par le car
Emmenant un gros lézard
Qui roulait des yeux hagards.

Luc Bérimont

L

A un piment
Ajoute des ailes,
Une libellule rouge
Bashô

libellule (nom féminin)

Provient d'un mot latin signifiant «niveau» car la libellule vole horizontalement, toujours au même niveau.

Cet insecte, que l'on appelle encore «demoiselle», vole au-dessus de l'eau le plus souvent. Elle porte quatre ailes ; ses couleurs sont très vives et ses yeux très gros. La larve de la libellule vit dans l'eau des étangs et des mares et est très vorace.

liberté (nom féminin)

C'est l'état de quelqu'un dont le comportement, les actions ne rencontrent aucune contrainte physique ou morale. Le mot liberté est le plus beau mot de toutes les langues !

«La liberté c'est s'envoler de sa cage quand on sait voler» (Jean-Luc, 8 ans).

Et par le pouvoir d'un mot
Je recommence ma vie
Je suis né pour te reconnaître
Pour te nommer
Liberté.
Paul Eluard

lichen (nom masculin)

Provient d'un verbe grec qui signifie «lécher».

Le lichen est une espèce de plante très résistante qui se colle aux rochers, aux écorces des arbres comme pour les lécher.

licorne (nom féminin)

Animal fabuleux, qui a le corps d'un cheval, la tête d'un cheval ornée d'une petite barbiche et, sur le front, une longue corne.

C'était une licorne blanche, de même taille que mon cheval mais d'une foulée plus longue et plus légère. Sa crinière soyeuse volait sur son front ; le mouvement faisait courir sur son pelage des frissons brillants et flotter sa queue épaisse. Tout son corps exhalait une lumière cendrée, des étincelles jaillissaient parfois de ses sabots. Elle galopait, la tête dressée, comme pour porter haut la corne terrible, où des nervures nacrées s'enroulaient en torsades régulières.

Bertrand d'Astorg

L

limande (nom féminin)

Poisson de sable très plat que l'on pêche dans la Manche ou dans l'Atlantique.

Etre «plat comme une limande», c'est soit être très mince, soit «lâche», «dégonflé», etc.

limier (nom masculin)

Littéralement «chien tenu en laisse». Chien de garde.

Ou encore : policier, détective. Sherlock Holmes était un «fin limier».

Encore que ton limier soit doux ne lui tire pas sur les babines.

Proverbe espagnol

limonaire (nom masculin)

«Orgue» des chevaux de bois qui marchait à l'aide d'une longue bande de papier perforé.

Chevaux de bois, bêtes d'Apocalypse,
Sommeils d'enfants, calèches de velours,
Tournez pour nous dans les fêtes foraines
A mi-chemin de la terre et du ciel.
Pistons crevés, hurlantes limonaires
Cacophonie haletante d'enfer,
Kiosque braillant de cris et de lumières
Combien plus beau que le chemin de fer.

Maurice Fombeure

L

linotte (nom féminin)

Petit oiseau passereau qui adore les graines de «linettes» (de lin), d'où son nom.

D'un enfant étourdi, on dit qu'il a «une tête de linotte».

liseron (nom masculin)

La définition savante de ce mot me fait rêver : «Plante volubile de la famille des convolvulvacées fréquente dans les haies et les cultures, dont les fleurs en entonnoir sont souvent blanches».

Autres noms du liseron : «convolvulus», «volubilis», «belle de jour» (car ses fleurs se ferment la nuit).

C'est en forgeant
qu'on devient
forgeron,
C'est en lisant
qu'on devient liseron.

Un poète !

locomobile (nom féminin)

Machine à vapeur montée sur roues. Mais les locomobiles sont en fait moins «mobiles» que les locomotives...

Les locomobiles servaient au XIXe siècle et jusque vers 1940 à actionner les machines à battre le blé.

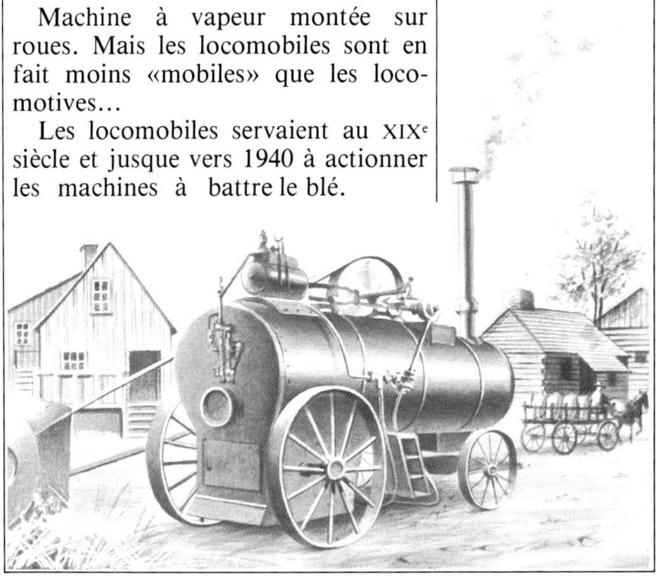

L

locomotive (nom féminin)

La locomotive, elle, est cette machine à vapeur qui est très mobile et même «automobile».

On dit le plus souvent «la loco».

Dire de quelqu'un «c'est une vraie locomotive», c'est dire que cette personne entraîne les autres.

Prêtez-moi, ô Orient-Express,
Sud-Brenner-Bahn,
Prêtez-moi
Vos miraculeux bruits sourds et
Vos vibrantes voix de chanterelle ;
Prêtez-moi la respiration légère et facile
Des locomotives hautes et minces,
aux mouvements
Si aisés, les locomotives des rapides,
Précédant sans effort quatre wagons
jaunes à lettres d'or.

Valery Larbaud

loir (nom masculin)

Petit rongeur qui vit dans les greniers dans lesquels il peut faire de gros dégâts, car il ronge tout ce qu'il rencontre ! Il aime tellement dormir (il dort presque tout l'hiver) qu'on dit d'une personne qui aime bien le sommeil, qu'elle est «paresseuse comme un loir.»

J'ai vu trois loirs
Sur le trottoir
Mademoiselle,
tournez-vous voir.

Six muscadins
dans mon jardin
Mademoiselle
tournez-vous bien.

Quatre lérots
à Livarot
Mademoiselle
Allez au trot.

Jacqueline et
Claude Held

L

loup (nom masculin)

Mammifère carnassier à pelage gris jaunâtre vivant dans les forêts d'Europe, d'Asie et d'Amérique. Le loup «hurle».

La vieille forme de loup était «leu», d'où l'expression «à la queue leu leu» : «à la queue du loup».

Le loup est également un masque de velours noir que mettaient les personnes qui ne voulaient pas être reconnues. Les yeux obliques du masque évoquant les yeux du loup.

«Une tête de loup» est un balai à brosse ronde pour enlever les toiles d'araignées.

Quel manège
Tournez-vous
Sur la neige
Loups à poux
Quel solfège
Hurlez-vous
Pris au piège
Tout à coup
En cortège
Fuyez, loups
Loups plus maigres
Qu'un vieux clou.

Bernard Lorraine

loup-garou (nom masculin)

Vieux mot scandinave qui signifie «homme-loup». Un loup-garou, c'était, disait-on dans l'ancien temps, un homme qui se transformait en loup la nuit, surtout pour faire peur aux petits enfants. Mais je crois que c'est une invention de parents pas très intelligents qui croyaient qu'il suffit d'effrayer les enfants pour les faire obéir.

loustic (nom masculin)

D'un mot allemand signifiant «gai, joyeux, malin».

Un loustic est un joyeux garçon, un joyeux drille, un lascar, un luron, un plaisantin.

lucarne (nom féminin)

Mot de la même origine que «lumière». Petite fenêtre qui donne de la lumière dans un grenier.

Aux premières lueurs du jour je me suis levé très lentement. Je suis monté à l'échelle du mur, et, par la lucarne, j'ai regardé passer les gens qui s'en allaient.

Pierre Reverdy

luciole (nom féminin)

Insecte coléoptère dont les deux sexes sont ailés et lumineux. A la différence du ver luisant dont seule la femelle est éclairée.

Odeur des bambous frais dans la chambre.
Dans le jardin, clair de lune sauvage.
Goutte à goutte la rosée, cristal.
Une à une, les étoiles claires.
Une à une, les lucioles
dans les coins noirs.
Les poules d'eau s'appellent
d'une rive à l'autre.
Au loin le monde entier se fait la guerre.
Assis sur mon lit, j'écoute et réfléchis.

Tou Fou

ludion (nom masculin)

Petit personnage qui monte et descend dans un vase rempli d'eau selon que l'on appuie ou non sur la membrane élastique qui ferme le récipient.

L

lumignon (nom masculin)

«Mèche de la chandelle, bougie ou lampe qui est allumée et qui se consume et qu'il faut avoir soin de moucher pour avoir une lumière claire. Les lampes à trois ou quatre becs ont autant de lumignons». (Furetière)

Un lumignon, c'est une toute petite source de lumière qui éclaire à peine.

lune (nom féminin)

On disait jadis que la lune était le «petit luminaire», le soleil étant le «grand luminaire».

Aujourd'hui vous connaissez mieux que personne cette planète satellite de la terre depuis qu'«on a marché sur la lune». Vous savez aussi que la lune nous renvoie la lumière du soleil.

Et que signifient les expressions : «être dans la lune», «demander la lune», «tomber de la lune»?

C'était dans la nuit brune
Sur le clocher jauni,
La lune
Comme un point sur un i.

Alfred de Musset

lupin (nom masculin)

Cette plante qui sert d'ornement, de fourrage et d'engrais, est encore appelée «herbe aux loups», d'où son nom.

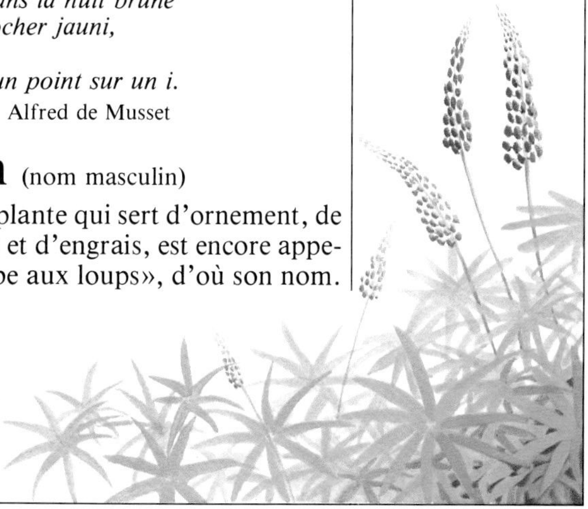

L

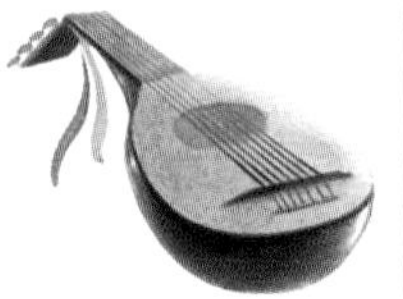

luth (nom masculin)

Instrument de musique originaire des pays arabes et dont on pince les cordes. Ancêtre de la guitare.

Les poètes s'accompagnaient ou se faisaient accompagner du luth pour chanter leurs poèmes, au XVIe siècle.

Viens à moi, mon luth, que j'accorde
Une ode pour la fredonner
Dessus la mieux parlante corde.

Pierre de Ronsard

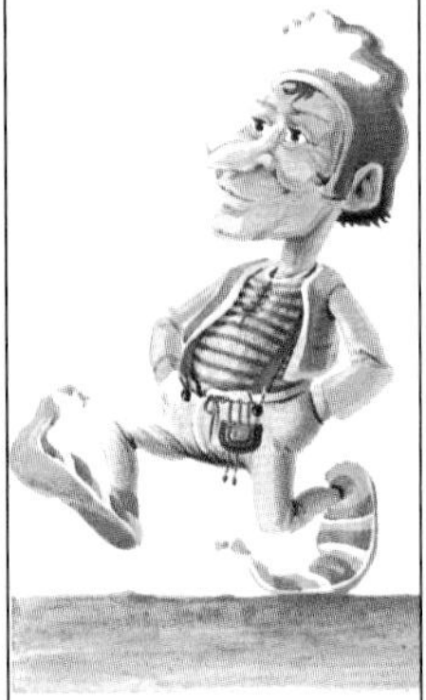

lutin (nom masculin)

Petit personnage des contes qui vient soit taquiner, soit tourmenter les humains, surtout la nuit. On dit encore : farfadet, gnome, etc.

La sorcière assise allonge sa lippe,
L'araignée accroche au toit son filet ;
Le lutin reluit dans le feu follet
Comme un pistil d'or dans une tulipe.
Je ne sais plus quand, je ne sais plus où,
Maître Yvon soufflait dans son biniou.

Victor Hugo

lynx (nom masculin)

Ou encore «loup cervier».

Espèce de gros chat sauvage à oreilles pointues et auquel on attribuait une vue très perçante, d'où l'expression «avoir des yeux de lynx».

… les mots les pierres les gouttes d'eau
de la montagne chaque jour
ressurgis de la nuit
crête lumineuse où s'accroche le givre des
images
le cristal des rêves
la chair sauvage de l'aventure au goût de
myrtille et de vent…

Michel Cosem

macadam (nom masculin)

L'ingénieur écossais John Loudon Mac Adam (1756-1836) a inventé un procédé consistant à recouvrir les routes et chemins de pierres concassées. On disait «une route à la Mac-Adam».

Le macadam est donc d'une façon plus générale le revêtement des routes.

Sur la banquise
Où sont assises
Les macareuses
Toutes frileuses
Les macareux
Aux yeux de feu
Aux becs tout bleus
Font un malheur !
Et la chaleur
Saisit le cœur
Des macareuses
Toutes frileuses
Qui sont assises
Sur la banquise.

G. Jean

macareux (nom masculin)

Oiseau des mers arctiques, dont le bec est très gros et de couleurs éclatantes, bleu, blanc, jaune.

machette (nom féminin)

Grand couteau à lame très plate dont on se sert pour couper les cannes à sucre et ouvrir son chemin dans la jungle.

machin (nom masculin)

Un bidule, une chose, un truc, etc.

M

madrépore (nom masculin)

Signifie littéralement «pore-mère». Les madrépores sont de petites bêtes qui fabriquent dans les mers chaudes de véritables récifs ; récifs percés de mille petits canaux et trous (pores) dans lesquels vivent ces petits animaux dont l'ensemble forme comme une «mère».

Et tout ce que le sel ou l'acide colore,
Mousse, algue chevelue, anémones, oursins,
Couvre de pourpre sombre,
en somptueux dessins,
Le fond vermiculé du pâle madrépore.

José Maria de Hérédia

mage (nom masculin)

Prêtre, magicien chez les Perses.

Personnage qui sait prédire l'avenir. Pratique la magie qui permet de reproduire des phénomènes surnaturels.

Les rois «mages» Melchior, Gaspar et Balthazar vinrent adorer Jésus à Bethléem.

Et voilà que l'étoile qu'ils avaient vue à l'Orient allait devant eux, jusqu'à ce que, venant au-dessus du lieu où était l'enfant, elle s'arrêta. A la vue de l'étoile, ils eurent une très grande joie. Ils entrèrent dans la maison, trouvèrent l'enfant, Marie sa mère et, se prosternant, ils l'adorèrent; puis, ouvrant leurs trésors, ils lui offrirent des présents: de l'or, de l'encens et de la myrrhe.

Evangile selon Matthieu

M

magma (nom masculin)

Mélange mi-solide, mi-liquide. La lave des volcans est un magma.

magnolia (nom masculin)

Arbre à belles fleurs blanches rosées, nacrées et qui doit son nom au botaniste français Pierre Magnol (1638-1715).

majorette (nom féminin)

«Jeune fille vêtue d'un uniforme de fantaisie qui participe aux parades et aux défilés dans les fêtes.» (Grand Larousse de la langue française).

La spécialité des majorettes, il faut le savoir, s'appelle depuis quelque temps «twirling bâton» (quel charabia), c'est-à-dire «bâton tournant».

Un journal de province

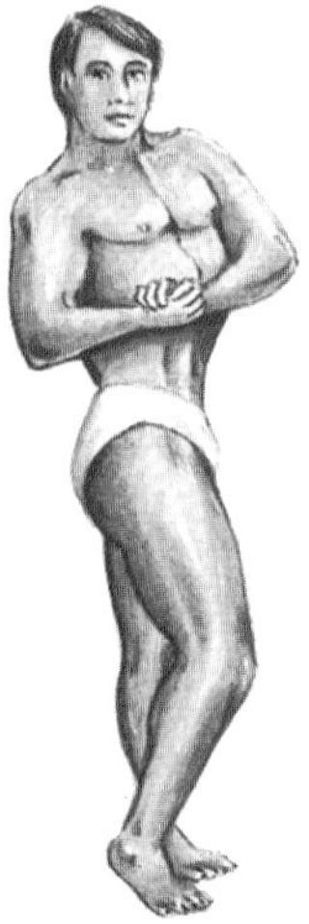

malabar (nom masculin)

Un malabar est un «costaud». C'est également une espèce de bonbon que vous connaissez tous.

Le petit type examina le gabarit de Gabriel et se dit, c'est un malabar, mais les malabars c'est toujours bon, ça profite jamais de leur force, ça serait lâche de leur part.

Raymond Queneau

malice (nom féminin)

Vient de «mal», «malin».

Taquinerie, disposition à faire aux autres de petites farces. Anciennement le mot désignait «une certaine aptitude à faire le mal».

Et quand on dit de quelqu'un qu'il est «sans malice», c'est qu'on ne le trouve pas bien «malin».

Et qu'est-ce qu'une «boîte à malice» ?

Il faut bien plus d'esprit pour plaire avec de la bonté qu'avec de la malice.

Marquise de Lambert

M

mammouth (nom masculin)

Mot d'une langue de Sibérie et signifiant «qui vit sous terre». Les mammouths sont d'énormes éléphants à poil qui vivaient à l'ère quaternaire.

Ces animaux ont été souvent trouvés debout comme s'ils avaient dû périr de quelque bouleversement, enfouis dans la boue, que la gelée survenant brusquement a solidifiée ensuite pour en faire une véritable glacière fossile.

Grand Larousse

manchot (nom masculin)

C'est bien sûr une personne qui n'a qu'un bras.

Egalement un oiseau palmipède aux ailes réduites, et devenues comme des sortes de rames dont les manchots se servent pour nager. Ils vivent surtout près du pôle Sud. A ne pas confondre avec les pingouins qui vivent au pôle Nord.

Mangouste elle
Glisse
Elle coule elle
Rouge feuillage
Entre deux herbes
Entre mille tiges
elle joue
Elle ronge
Elle
Tue
Yeux minuscules
perçant
l'aurore musquée.
Gérard Delisle

mangouste (nom féminin)

Petit mammifère carnivore vivant surtout en Afrique, dans les îles des Antilles, aux Indes. Et qui aime bien manger les œufs, les grenouilles et les serpents.

Vous lirez certainement un jour la belle histoire de Riqui Tiki Tavi, la mangouste, de l'écrivain anglais Rudyard Kipling.

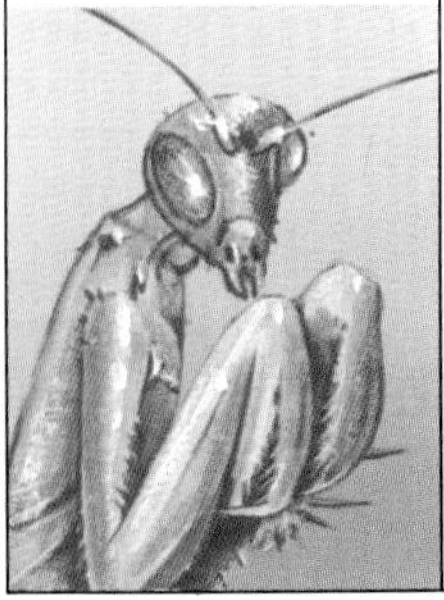

mante religieuse
(nom féminin)

Ou «mante prie-Dieu». C'est un insecte qui mange d'autres insectes en les tenant entre ses pattes de devant qui ressemblent à des mains jointes.

On raconte même que la femelle préfère par-dessus tout croquer son mari...

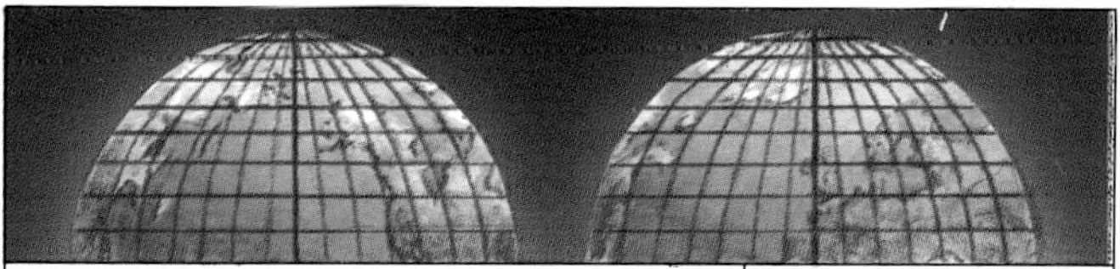

mappemonde (nom féminin)

Vient de l'expression latine «mappa mundi» qui signifie «nappe du monde».

Une mappemonde (on dit encore «planisphère») est une carte qui représente «à plat» le globe terrestre.

marabout (nom masculin)

Un marabout est un «moine» des pays musulmans qui vit très pauvrement et qui prédit l'avenir.

Le mot «marabout» désigne également un oiseau d'Afrique qui se remarque par un gros bec et un cou déplumé.

marelle (nom féminin)

D'un vieux mot français signifiant «caillou».

«La marelle est un jeu d'enfant qui consiste à sauter à cloche-pied et à pousser avec le pied un caillou, un palet, dans des cases dessinées sur le sol» (Grand Dictionnaire Larousse de la langue française).

Moi je jouais
au cerceau
A la balle
au chasseur
Je jouais
à la marelle
Je jouais
avec un seau
Je jouais
avec une pelle
Je jouais
au papa
et à la maman
Je jouais
à chat perché
Je jouais
avec mes poupées
Je jouais
avec une ombrelle.

Jacques Prévert

M

margoulette (nom féminin)

Diminutif de «goule» : gueule.
La margoulette, c'est la mâchoire en termes familiers.

mariole (nom masculin)

Ou «mariolle».
Proviendrait de l'expression «la Marie», c'est-à-dire la «sainte nitouche», «l'innocent»...
Aujourd'hui «faire le mariole», c'est «se vanter».

marionnette (nom féminin)

Ou «petite Marion».
Poupée à laquelle on donne la vie en la «manipulant» avec les mains, des fils, etc.

Ainsi font font font
Les petites marionnettes,
Ainsi font font font,
Trois p'tits tours et puis s'en vont !

Chanson enfantine

marjolaine (nom féminin)

La marjolaine ou «origan» est une plante odorante commune dans nos régions et particulièrement en Provence.

Couronnés de thym et de marjolaine
Les elfes joyeux dansent sur la plaine.

Leconte de Lisle

marmotte (nom féminin)

Animal rongeur des montagnes qui s'endort au début de l'hiver pour hiberner.

M

La marmotte est très craintive et pousse de petits cris très caractéristiques des prairies et des landes de montagne.

Quand s'annonce l'automne
La marmotte marmonne
Rentre dans sa maison
Et dit : «c'est la saison
Où mon lit a du bon
Dormons».
Et elle attend le temps
Du soleil, du printemps,
En dormant.

G. Jean

marrer (se) (verbe)

Du vieux verbe «se marrir» : s'ennuyer. Souvent un verbe, dans son emploi familier, signifie le contraire de ce qu'il signifiait à l'origine.

Aujourd'hui «se marrer», c'est «bien rire», «se boyauter», «se tordre», «se fendre la pêche ou la gueule jusqu'aux oreilles».

Ce qui est «marrant» est ce qui est amusant. Un marrant, c'est un drôle.

Par contre «en avoir marre», c'est «en avoir assez», et ici le mot reprend son sens ancien.

marsouin (nom masculin)

Vient d'un vieux mot scandinave qui signifie «porc de mer ». Maupassant le nommait le «clown de la mer», tant il fait des tours et des sauts en suivant les navires !

M

matador (nom masculin)

Mot espagnol signifiant «celui qui tue».

Le matador est celui qui tue le «toro» dans une corrida.

mégacéros (nom masculin)

Genre de cerf préhistorique, qui portait de très grandes cornes, d'où son nom «méga-céros» signifiant «méga-cornes», «grandes cornes».

Cherche pas des
crosses
Au mégacéros
Car il n'est pas rosse
Le mégacéros
Encore moins féroce
Le mégacéros.

G. Jean

menhir (nom masculin)

Mot breton signifiant «longue pierre».

Un menhir est une très grande pierre dressée qui date de la préhistoire et devait avoir une signification religieuse.

Les dolmens sont des pierres couchées sur d'autres pierres.

De la mer aux menhirs
Des menhirs à la mer,
La même route avec deux vents contraires
Et celui de la mer
Plein du meurtre de l'autre.

Guillevic

M

merle (nom masculin)

Le merle est cet oiseau noir à bec jaune (la merlette est gris-marron) qui siffle dans nos jardins et mange nos cerises.

Le merle y a perdu son bé
Comment chantera-t-il le merle
Lorsqu'il n'a plus de bé... ?

Le merle a perdu sa langue
Sa langue et son bé

Le merle y a perdu un œil
Un œil sa langue et son bé... etc.

Cité par Claude Roy

merveille (nom féminin)

S'emploie souvent au pluriel. Les merveilles sont les choses extraordinaires que l'on raconte et rencontre dans les contes.

Et sauriez-vous énumérer les Sept Merveilles du monde ? Ce sont : les pyramides d'Egypte, les jardins suspendus de Sémiramis et les murs de Babylone, la statue de Zeus Olympien par Phidias, le colosse de Rhodes, le temple d'Artémis à Ephèse, le mausolée d'Halicarnasse, et le phare d'Alexandrie. Les Anciens désignaient ainsi sept monuments qui suscitaient l'admiration universelle.

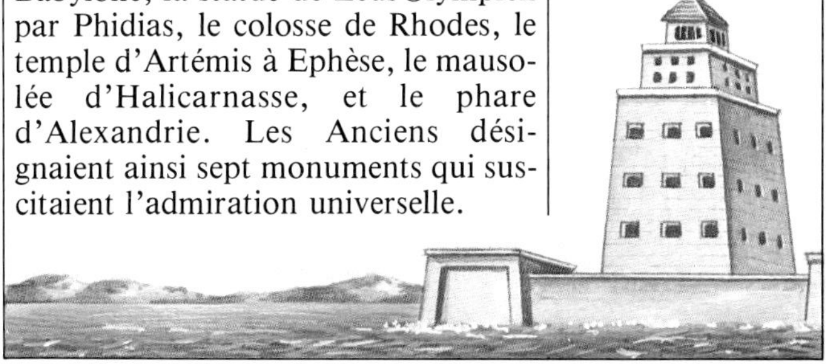

M

mésange (nom féminin)

Parfois appelées «nonnettes», ces oiseaux vivent près de nos maisons et sont remarquables par leurs couleurs et leur diversité ; il y a par exemple les mésanges bleues, les mésanges charbonnières, les mésanges à longue queue, etc.

Une mésange a fait son nid
Dans la pompe du vieux puits
Et nous ne tirerons plus
L'eau claire,
Car il faut bien que ces petits oiseaux familiers
S'envolent un matin dans le ciel de l'été.

G. Jean

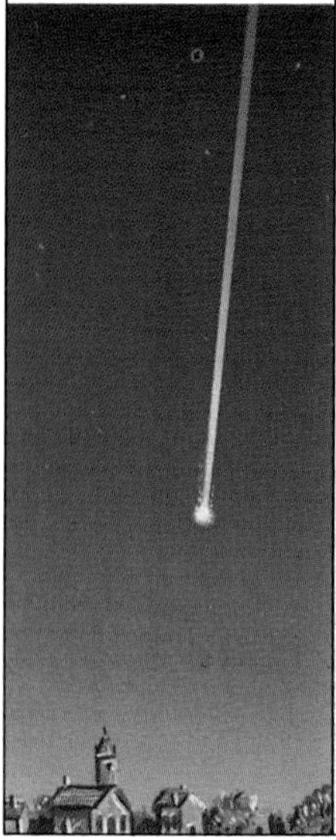

météore (nom masculin)

Phénomène lumineux provoqué par le passage dans le ciel d'un corps à grande vitesse.

On a vu des météores en forme de clochers ardents, de lances flamboyantes, de javelots brûlants, de traits de feu volants, de chevrons de feu, de chèvres sautelantes, et les étoiles filantes.

Furetière

micmac (nom masculin)

D'un vieux mot français signifiant : «émeute», «désordre».

Des «micmacs» ce sont des «combines», des «magouilles» ou encore «une grande pagaille».

M

mime (nom masculin)

Chez les Anciens le «mimus» était un mauvais acteur qui ne savait pas parler et ne pouvait faire que les gestes.

De nos jours un mime est un acteur qui exprime tous ses sentiments avec son corps et son visage. Le jeu du visage est la « mimique».

mirette (nom féminin)

Le plus souvent au pluriel.

Les «mirettes» ce sont les yeux dans le langage familier.

Quand on a bien sommeil, on dit qu'on a «du sable plein les mirettes. »

Quand on admire beaucoup quelqu'un ou quelque chose on dit parfois en langage populaire qu'on «en prend plein les mirettes».

mirliflore (nom masculin)

Proviendrait de l'expression «mille fleurs» pour la raison que certains élégants étaient exagérément parfumés. Et on les appelait les «mirliflores».

mirliton (nom masculin)

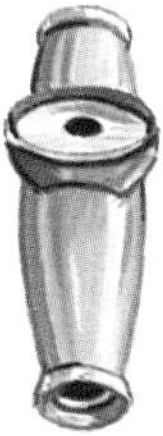

Avec un tuyau sur le bout duquel on tend un morceau de papier de soie, on fabrique un mirliton qui fait une espèce de musique quand on chantonne dedans.

M

mirobolant (adjectif)

Dans une comédie du XVIIe siècle français, un personnage s'appelle le docteur «Mirobolant» parce que le «myrobolan» est une plante médicinale qui a une odeur très forte, et peu commune.

«Mirobolant» signifie donc «extraordinaire, étonnant, fabuleux, fantastique, merveilleux, mirifique, sensationnel, époustouflant».

miroir (nom masculin)

Surface de verre ou de métal dans laquelle on peut se «mirer», c'est-à-dire se regarder.

Les miroirs feraient bien de réfléchir un peu avant de renvoyer les images.

Jean Cocteau

Mister Mistigri
A le poil tout gris
Et toujours sourit
Lorsque la souris
Sort de son abri
Mister Mistigri
Aime les souris
Qui ont le poil gris.
Comme lui !

G. Jean

mistigri (nom masculin)

Mot formé de «gris» et de «mist». Vieux mot qui signifiait : «aimable, doux, gai». La «mit» était en vieux français «la caresse du chat».

Un «mistigri» c'est un chat !

Dans certains jeux de cartes, le «mistigri» c'est le valet de pique.

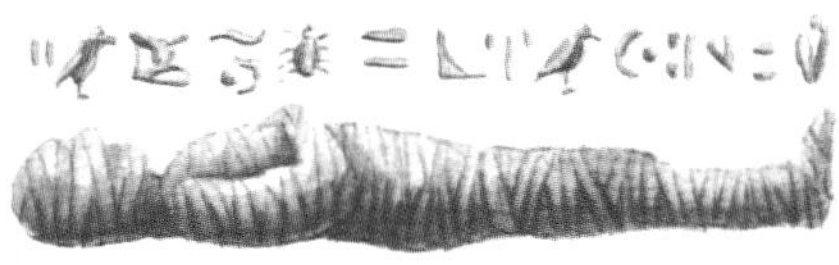

M

momie (nom féminin)

«Tout cadavre desséché et embaumé.» (Furetière).

Les anciens Egyptiens avaient l'art de conserver les corps après la mort et l'on peut voir encore aujourd'hui des momies qui ont plusieurs milliers d'années.

monstre (nom masculin)

Du latin «monstrum» : fait prodigieux.

Tout ce qui «sort de la nature», du normal. Un monstre peut être une créature imaginaire : les centaures, la licorne, les chimères et bien d'autres. Ou bien des êtres pas comme les autres : un mouton à cinq pattes, un veau à deux têtes sont des monstres. Une personne très cruelle est un monstre.

Pas de monstre chétif, louche, impur, chassieux
Qui n'ait l'immensité des astres dans les yeux.

Victor Hugo

M

montgolfière (nom féminin)

Du nom des frères Joseph (1740-1810) et Etienne (1745-1799) Montgolfier qui inventèrent le ballon qui s'élève dans les airs grâce à l'air chaud produit par un foyer qu'on place en-dessous du ballon.

morse (nom masculin)

Ce nom a deux sens très différents.

Un morse est un mammifère du genre des phoques mais qui porte une grosse moustache et des défenses (canines) très pointues. Les morses vivent dans les régions polaires ; ils peuvent atteindre jusqu'à 7 m de longueur et sont recherchés pour leur graisse et l'ivoire de leurs dents.

Le «morse» est un alphabet inventé par l'Américain Samuel Morse (1791-1872) inventeur du télégraphe électrique. Cet alphabet est fait d'une combinaison de traits et de points.

Le morse ne mord
Ni l'or ni l'écorce
Ni l'ours ni l'amorce
Du Sud ou du Nord
Le morse n'est rosse
Ni dur ni féroce
Ne bombe le torse
N'étale sa force
Pourtant il est fort
Le morse, et ses dents
En ivoire blanc
Font des trous dedans
La glace où le morse
Glisse sur les bosses
D'un grand pays blanc.

G. Jean

M

mosquée (nom féminin)

Mot arabe signifiant «endroit où l'on adore».

La mosquée est le temple de la religion musulmane.

moto (nom féminin)

Abrégé de «motocyclette» ou «cycle à moteur».

Mais vous savez certainement tout sur les motos : les gros cubes, les trials, les courses, les motards, etc. Alors je ne sais pourquoi j'ai été vous proposer ce mot.

Quand on épouse la route
C'est tout le ciel qu'on épouse
Les garçons d'honneur sont les arbres
Et les demoiselles d'honneur
Sont les poteaux indicateurs
Et le maire c'est le soleil
Quand on épouse la route
Quand on la prend dans ses bras
On risque d'éclater de joie
Avec les ressorts dans les fesses.

Paul Valet

M

mousquetaire (nom masculin)

Soldat qui porte un «mousquet» (le mousquet est l'ancêtre du fusil).

Sous Louis XII et Louis XIV les mousquetaires étaient des soldats à cheval (toujours des nobles) qui constituaient la garde du roi.

Débraillés, avinés, écorchés, les mousquetaires du roi, ou plutôt ceux de M. de Tréville, s'épandaient dans les cabarets, dans les promenades, dans les lieux publics, faisant sonner leurs épées, heurtant avec volupté les gardes de M. le Cardinal quand ils les rencontraient ; puis dégainant en pleine rue, avec mille plaisanteries, tués quelques fois mais sûrs en ce cas d'être pleurés et vengés ; tuant souvent, et sûrs alors de ne pas mourir en prison.

Alexandre Dumas

murène (nom féminin)

Ce poisson de mer ressemble à une anguille et vit dans des trous de rochers. La murène a des dents très aiguës et mord, dit-on, les imprudents qui s'approcheraient de trop près. Sa chair était très appréciée des riches Romains qui, dit-on, nourrissaient des murènes avec des esclaves.

M

musaraigne (nom féminin)

La musaraigne, dont le nom signifie curieusement «souris-araignée», est un tout petit mammifère à museau pointu qui mange beaucoup de petits insectes nuisibles. On a prétendu que sa morsure était venimeuse comme celle de certaines araignées, d'où son nom.

Muse muse musaraigne
Ton museau pointu enseigne
D'où vient le vent frivolant
Où se balance l'araigne
Dans sa toile de dentelle
Où les insectes des champs
Croquent croquent à belles dents
Le blé et l'orge et le seigle
Mais tu seras là à temps
Muse muse musaraigne
Pour que la moisson soit belle
Quand viendra le joli temps.

G. Jean

mustang (nom masculin)

D'un vieux mot espagnol signifiant : «sans maître, vagabond».

Les «mustangs» sont des chevaux à demi sauvages qui vivent dans les pampas en Argentine.

M

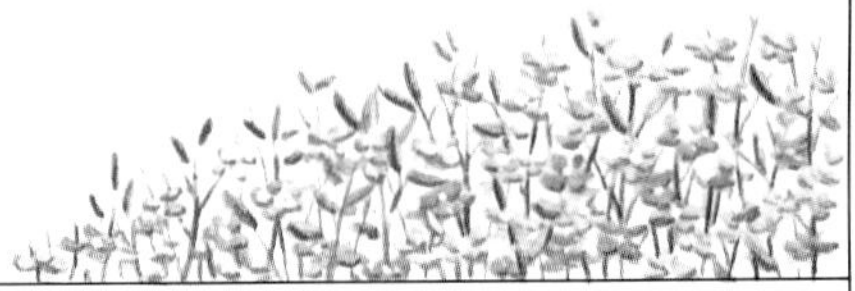

myosotis (nom masculin)

Cette délicate petite fleur est par son nom tout un poème, puisque ce nom signifie littéralement «oreille de souris», en grec. Et en allemand et en anglais, on appelle les myosotis des «ne-m'oubliez-pas».

myrtille (nom féminin)

L'autre nom de la myrtille est l'airelle.

On la ramasse dans les sous-bois, avec une espèce de peigne et on en fait des confitures et des tartes succulentes.

mystère (nom masculin)

Disons simplement qu'un mystère est une chose obscure pour le plus grand nombre. Un phénomène qui survient et qu'on ne comprend pas.

Chaque fois que l'aube paraît, le mystère est là, tout entier.

René Daumal

A cheval sur ma fusée
Partons pour les nébuleuses
Cueillir des pommes dorées
Dans les régions ténébreuses.

G. Jean

N

nacelle (nom féminin)

Petit bateau sans mât ni voile.

Berceau.

Panier suspendu à un ballon et dans lequel montent le pilote et les passagers.

C'est une chose effrayante que de voir des Indiens s'aventurer dans des nacelles d'écorce sur ce lac renommé par ses tempêtes où fourmillaient autrefois des myriades de serpents.

Chateaubriand

narval (nom masculin)

Mammifère cétacé.

Il vit dans les mers froides du Nord. Le mâle a une canine gauche horizontale, longue et pointue comme une épée que les Anciens ont cru être une corne de licorne.

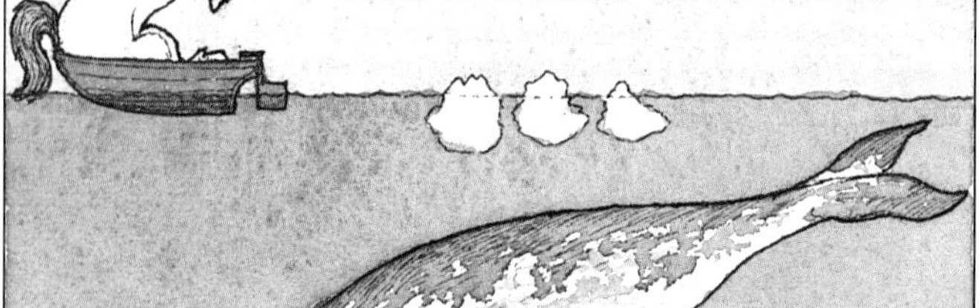

N

nautile (nom masculin)

Mollusque qui ressemble à un bateau (d'où son nom, qui vient du grec «nautilos» : marin). Le mot a donné «Nautilus», le nom du fameux navire sous-marin du capitaine Némo, héros du roman de Jules Verne : *Vingt Mille Lieues sous les mers.*

N

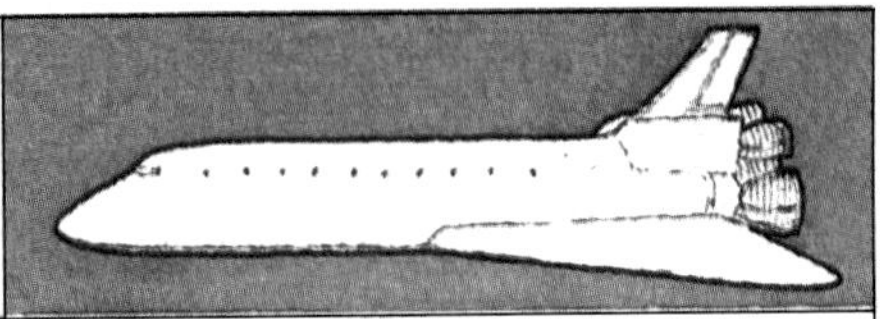

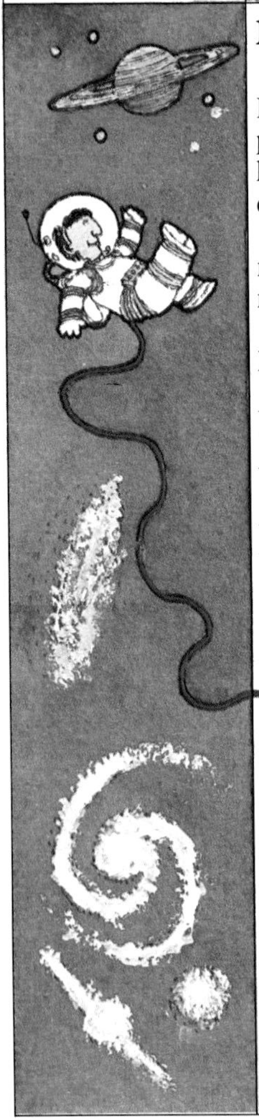

navette (nom féminin)

Qui provient du mot «nef» : navire. La navette du tisserand ressemble à un petit navire. C'est avec la navette que l'on croise le fil de la trame et les fils de la chaîne.

Le tisserand fait aller et venir sa navette, d'où l'expression «faire la navette» lorsqu'on va et vient.

Et la «navette spatiale» va dans l'espace et en revient.

Les tisserands sont pires que les évêques
Car du Lundi, ils en font une fête,
Branlons la navette,
O gai lon là,
Branlons la navette
Le beau temps reviendra.

Chanson des tisserands

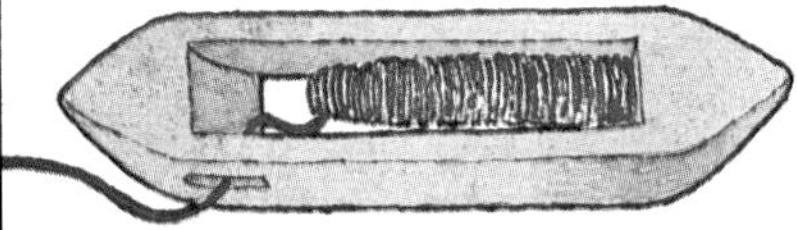

nébuleuse (nom féminin)

Vient de «nebula» : brouillard. On dit parfois du ciel qu'il est nébuleux quand il est couvert de nuages.

On disait des étoiles nébuleuses «pour parler d'étoiles qu'on ne peut qu'à peine découvrir avec les yeux». (Furetière).

Une nébuleuse en astronomie est un amas d'étoiles lointaines qui forment une masse lumineuse dans le ciel.

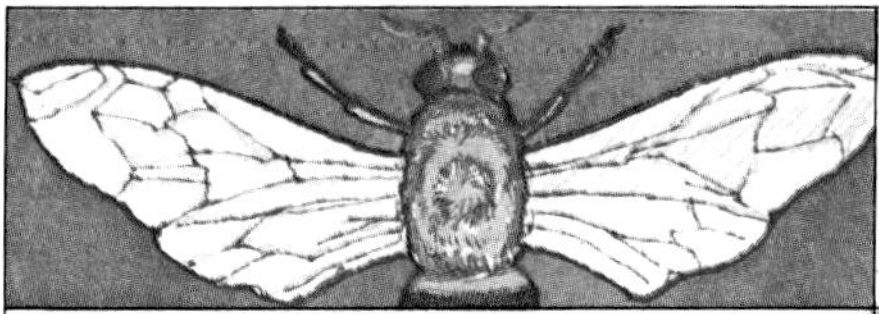

N

nervure (nom féminin)

Vient du mot «nerf».

Dans une feuille ou une aile d'insecte, les nervures sont les filets qui constituent l'architecture de la feuille ou de l'aile.

Souvent lorsque les feuilles sont sèches, ne demeurent que les jolis dessins des nervures.

Les voûtes de certaines églises ont aussi des nervures, de fines arêtes saillantes.

noctuelle (nom féminin)

D'un nom latin signifiant «oiseau de nuit».

Les noctuelles sont des papillons de nuit de couleur grise ou brune.

Noctuelles noctuelles
Le velours de vos ailes
Glisse contre la nuit
Et lorsque la lumière
Eclaire vos sillages
Vos yeux tendres et sombres
Regardent au passage
Le jardin noir où nagent
Les poussières de l'ombre.

G. Jean

notonecte (nom masculin ou féminin)

Insecte des mares, punaise d'eau qui a la particularité de nager sur le dos.

N

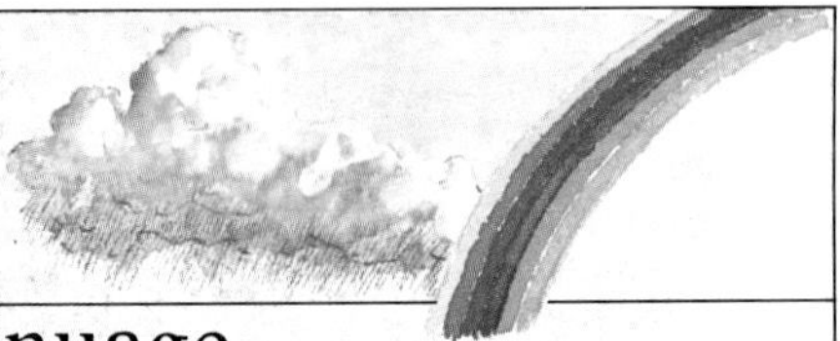

nuage (nom masculin)

Vapeur d'eau qui forme dans le ciel des masses blanches, grises ou noires et de formes diverses qui ont pour nom «cirrus», «cumulus», «nimbus», ou «stratus».

– Eh ! qu'aimes-tu donc, extraordinaire étranger ?
– J'aime les nuages… les nuages qui passent… là-bas… là-bas… les merveilleux nuages…

Baudelaire

nymphe (nom féminin)

Divinité féminine de la Grèce antique conçue sous des dehors gracieux ; déesses des eaux, des bois et des montagnes et personnifiant la fécondité de la nature.

O Fontaine Bellerie
Belle fontaine chérie
De nos Nymphes, quand ton eau
Les cache au creux de ta source.

Pierre de Ronsard

L'orang-outang vit dans les forêts ; en liberté il est timide ; mais en captivité, il peut devenir dangereux, à cause de la vivacité de ses mouvements. Il supporte difficilement nos climats tempérés et, dans les ménageries, meurt de tuberculose.

Larousse

O

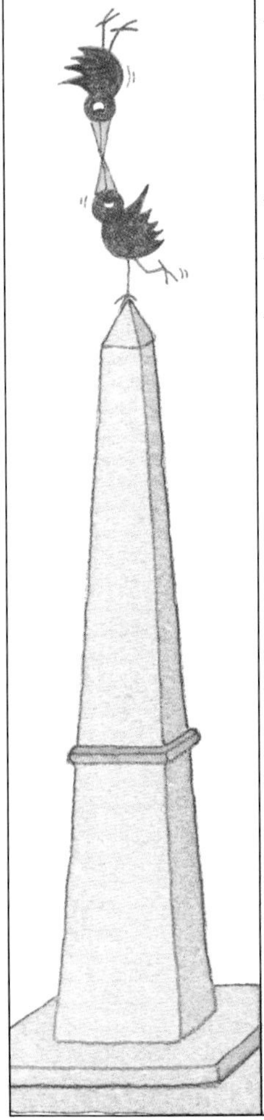

oasis (nom féminin)

Une zone fertile au milieu du désert, grâce à la présence de l'eau.

Les oasis dans le désert du Sahara sont des endroits où se développe une végétation luxuriante et où s'arrêtaient les caravanes.

Plus généralement une oasis est un lieu protégé, «une oasis de paix».

Vers toi des gens du peuple sont venus
sur leurs chamelles rapides,
Depuis Agragouf au matin elles nous ont
portés,
Et le jour éclatait par l'outre de nuit
déchiré.
A peine elles ont revêtu la robe de sueur
Qu'au soleil, je les vois plonger aux
sources d'Abagha.
Puis burent une fois, dans une oasis du
désert de Nouquayb,
lorsque le coq du matin jetait son cri.

Abou Nowas

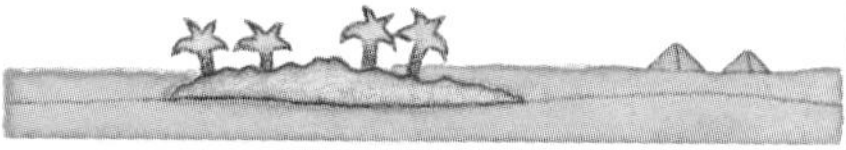

obélisque (nom masculin)

Quand on regarde l'obélisque de Louqsor ou Louxor (ville d'Egypte), érigé en 1836, place de la Concorde à Paris, on a de la peine à croire que le mot «obélisque» provient d'un mot grec qui signifiait «broche à rôtir», ou encore «petite épée». Un obélisque est un monument constitué par une pierre dressée, à quatre faces et se terminant par une petite pyramide. Les anciens Egyptiens en dressaient devant leurs temples pour honorer leurs dieux.

O

oblitérer (verbe)

Ce verbe provient d'un verbe latin qui signifiait : «effacer les lettres». Oblitérer un timbre, c'est mettre un cachet, une marque, qui le rend inutilisable une seconde fois.

observatoire (nom masculin)

C'est un lieu d'où l'on... observe ! c'est-à-dire d'où l'on regarde avec attention.

Pour moi, c'est surtout le lieu magique et merveilleux d'où l'on regarde et étudie les étoiles.

océan (nom masculin)

«Vaste étendue d'eau marine d'un seul tenant qui occupe une grande partie du globe terrestre.» (Grand Larousse de la langue française)

Vieil océan aux vagues de cristal, tu ressembles proportionnellement à ces marques azurées que l'on voit sur le dos meurtri des mousses ; tu es un immense bleu, appliqué sur le corps de la terre.

Lautréamont

O

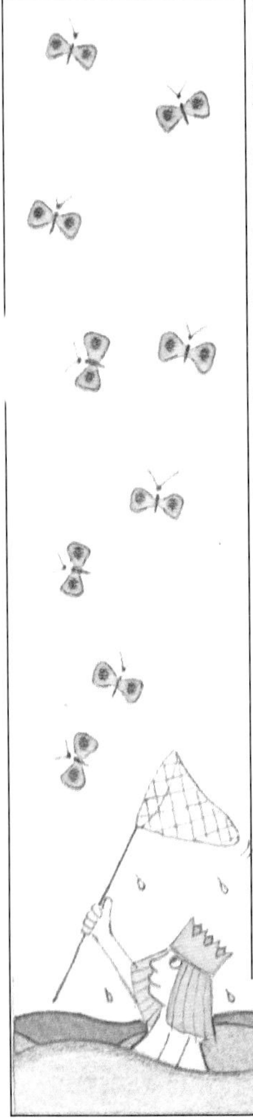

ocelle (nom masculin)

Le sens originel de ce nom est «petit œil».

On appelle «ocelle» l'œil de certains insectes.

Ce mot désigne également les taches qui ressemblent à «de petits yeux» sur les ailes de papillon.

onde (nom féminin)

«Unda» en latin désigne le plus souvent «l'eau agitée».

Actuellement, le mot « onde » est employé pour :

Désigner l'eau en poésie.

Nommer les lignes concentriques que fait une eau tranquille lorsqu'on jette une pierre. Un bouchon sur ces «ondes» se déplace de bas en haut mais n'avance ni ne recule.

Désigner les vibrations de l'air, de la lumière, de l'électricité et qui portent les images et les sons de la télévision et de la radio.

Ondes, sans fin vous promenez
Et vous menez et ramenez
Vos flots d'un cours qui ne séjourne ;
Et moi sans faire long séjour
Je m'en vais, de nuit et de jour,
Au lieu d'où plus on ne retourne.

Pierre de Ronsard

ondine (nom féminin)

Divinité des eaux dans les mythologies germanique et scandinave.

Eternelles Ondines
Divisez l'eau fine.

Arthur Rimbaud

O

onguent (nom masculin)

Vient du verbe «oindre».

Un onguent est une huile parfumée, ou une pommade que l'on applique sur la peau pour calmer certaines douleurs.

Sapins médecins divagants
Ils vont offrant leurs bons onguents
Quand la montagne accouche
De temps en temps sous l'ouragan
Un vieux sapin geint et se couche.

Guillaume Apollinaire

opoponax (nom masculin)

Ou « opopanax ».

Ce mot désigne une plante méditerranéenne très odorante. Et je le trouve très agréable à entendre... alors...

orang-outang (nom masculin)

Mot emprunté à la langue malaise et qui signifie «homme des bois».

Par ce mot on nomme de grands singes aux longs poils de couleur acajou, à la face d'un gris bleuté et qui vivent en Asie.

O

orbite (nom féminin)

Provient d'un mot latin qui signifie «ligne circulaire».

L'orbite est la cavité qui renferme le globe de l'œil.

Une orbite est également le chemin parcouru par les astres qui décrivent dans l'espace des courbes ou ellipses. On parle de l'orbite des satellites, de la navette spatiale, d'une fusée «mise en orbite».

orchestre (nom masculin)

Dans les anciens théâtres grecs, l'orchestre était la partie circulaire du théâtre, située entre la scène et les spectateurs et où évoluait le chœur.

Un orchestre est un ensemble de musiciens qui jouent ensemble. Dans les théâtres, l'orchestre se tient devant la scène, dans la « fosse d'orchestre ». On dit des premiers fauteuils que ce sont les fauteuils d'orchestre. Tout ceci rappelle donc les théâtres grecs.

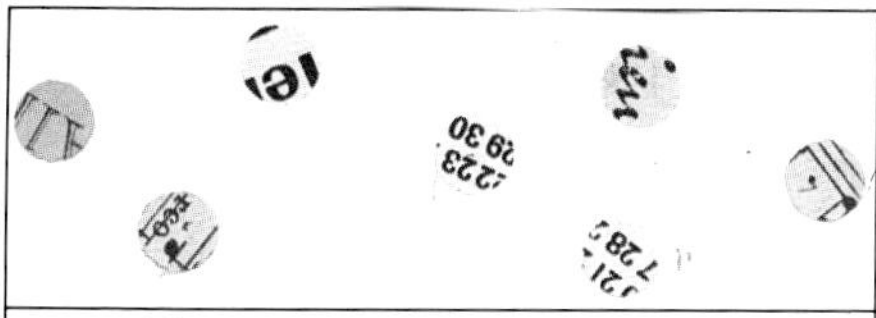

O

ordinateur (nom masculin)

L'ordinateur est une machine électronique qui «met en ordre». Les ordinateurs sont non seulement capables d'effectuer très rapidement les opérations mathématiques les plus compliquées, mais encore ils établissent des choix, prennent des décisions grâce à leur « mémoire ».

L'ordinateur mal employé peut être une catastrophe. C'est un instrument simple, bête, discipliné mais parfois méchant.

Un bibliothécaire

orée (nom féminin)

D'un mot latin signifiant «bouche» (que l'on retrouve dans «oral»).

L'orée, c'est la lisière, le bord, le commencement d'un bois, d'une forêt.

oreiller (nom masculin)

Provient, bien sûr, de « oreille ». C'est le coussin que l'on place sous ses oreilles et sa tête pour dormir.

Cher petit oreiller, doux et chaud sous ma tête
Plein de plumes choisies, et blanc, et fait pour moi !
Quand on a peur du vent, du loup, de la tempête
Cher petit oreiller, que je dors bien sur toi !

Marceline Desbordes-Valmore

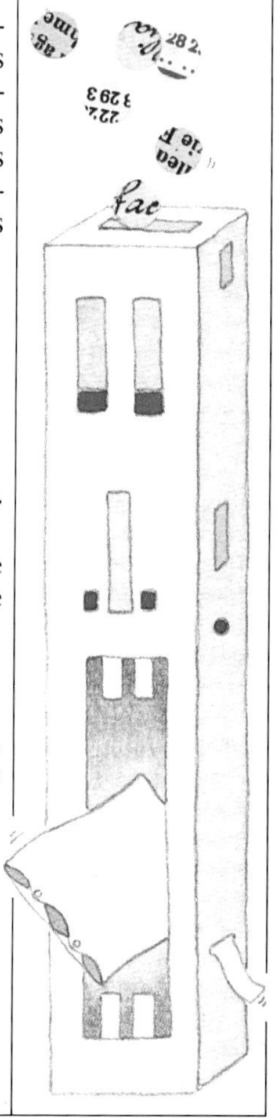

O

orge (nom féminin)

Céréale dont les épis ont de longues « barbes ».

Avec l'orge on fait la bière.

Le «sucre d'orge» est du sucre cuit avec une décoction d'orge et dont on fait de petits bâtons.

Pour se délier la langue :

Dis-moi, gros, gras, grand grain d'orge
Quand te dégros, gras, grand grain d'orgeras-tu ?
Je me dégros, gras, grand grain d'orgerai
Quand tous les gros, gras, grand grain d'orge
Se seront dégros gras grand grain d'orgés...

orgue (nom masculin ou féminin)

Les mots «amour, délice, et orgue» sont masculins au singulier et féminins au pluriel.

L'«orgue» est un grand instrument de musique composé de tuyaux dans lequel l'air, envoyé par une soufflerie, résonne. Plusieurs claviers pour les mains, un clavier pour les pieds permettent à l'organiste (le musicien qui joue de l'orgue) de varier à l'infini les sons produits dans les tuyaux de l'orgue.

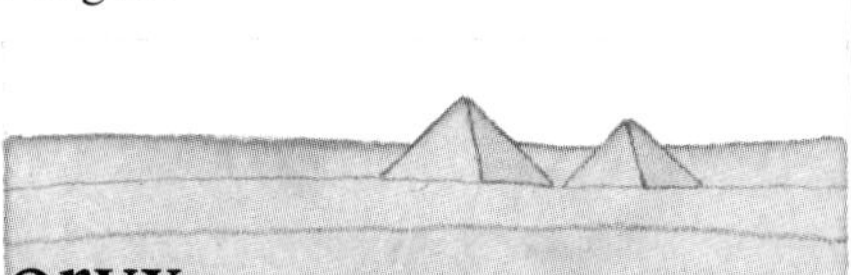

oryx (nom masculin)

Antilope d'Egypte dont les cornes sont très pointues. Ne pas confondre avec l'« onyx » qui est une variété d'agate.

oscar (nom masculin)

On a donné pour s'amuser le prénom d'Oscar à la statuette qui récompense, aux Etats-Unis, le meilleur film, le meilleur acteur de cinéma d'une année.

ostrogoth (nom masculin)

Membre d'une partie des «Goths» (Germains habitant l'ancienne Allemagne). L'autre partie était constituée par les « Wisigoths ».

Familièrement, on dit de quelqu'un que «c'est un drôle d'ostrogoth» quand il est bizarre, curieux, peu nerveux, etc.

O

Les ostrogots
Les wisigoths
Sont des goths
Et pas des gogos
Des goths très goths
Pas parigots
Très germaniques
Ostrogothiques
Wisigothiques
Qui font la nique
A leurs copains
Messieurs les Huns.

G. Jean

otarie (nom féminin)

D'un mot grec qui signifie : «petite oreille».

Parce que l'otarie est un genre de phoque qui a de petites oreilles.

Les otaries se dressent facilement et sont très adroites pour faire tenir un ballon sur leur nez et faire toutes sortes de tours.

Etre amphibie
Dit l'otarie
C'est vivre là-bas,
C'est vivre ici
Un brin sur terre,
Un brin sur mer
Jamais le même nid
Jamais de frontière
Poisson à demi
Mi-mammifère.

Andrée Chédid

O

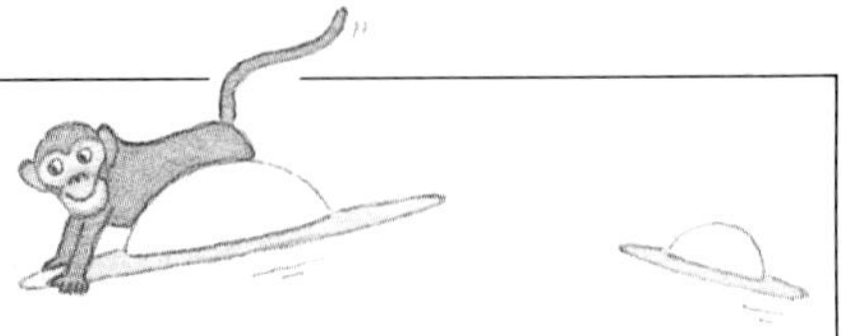

ouistiti (nom masculin)

Petit singe à longue queue qui vit en Amérique du Sud et porte une touffe de poils au bout des oreilles.

J'ai acheté trois ouistitis que j'ai baptisés
Hic Haec Hoc
Douze colibris
Mille cigares
Et une main de bahiana grande comme un pied
Avec ça j'emporte le souvenir du plus bel éclat de rire.

Blaise Cendrars

oursin (nom masculin)

L'oursin ou «châtaigne de mer» est un drôle d'animal : rond, il se déplace dans la mer et se fixe sur les rochers à l'aide de ses piquants.

Il ne fait pas très bon marcher les pieds nus sur un oursin. Les oursins de la Méditerranée sont comestibles et délicieux.

L'oursin et le hérisson,
La châtaigne l'églantine
Les rosiers et les chardons
Nous disent que le beau et le bon
Se cachent sous des épines.

G. Jean

ovni (nom masculin)

Initiales de l'expression : «objet volant non identifié». Ce sont entre autres les soucoupes volantes, ces drôles de choses que certaines personnes disent avoir vues dans le ciel !

Dans une baie
Derrière un promontoire
Une plage de sable jaune
et des palmiers nacrés.
Blaise Cendrars

P

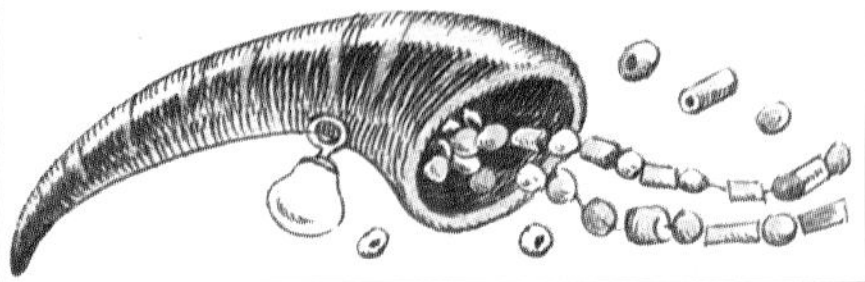

pacha (nom masculin)

Terme honorifique que l'on ajoute au nom propre de certains hommes politiques et religieux dans les pays musulmans : Omar pacha, Nahas pacha, etc.

Sur un bateau de guerre, c'est le nom familier que les marins donnent à leur commandant.

Nous avons cru que le pacha était un pacha, mais le pacha était un homme.

Proverbe libanais

pachyderme (nom masculin)

Signifie très exactement «qui a la peau épaisse».

Les animaux comme les éléphants, les hippopotames qui ont la peau très épaisse sont des pachydermes.

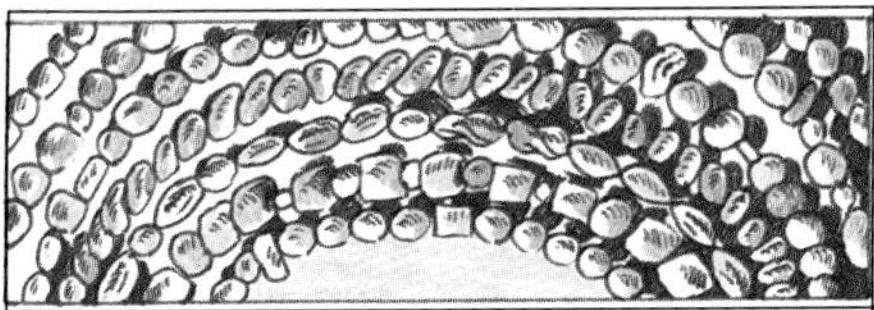

P

Le navire européen
arrivait avec
une cargaison
de pacotille
et repartait lourd
de trésors véritables.
Jules Romains

pacotille (nom féminin)

Provient d'un très vieux mot français signifiant «paquet». A l'origine, la «pacotille» était le paquet de marchandises que les marins pouvaient vendre ou échanger pour leur propre compte.

Puis on a appelé «pacotille» les marchandises de peu de valeur (verroterie) que l'on échangeait contre des denrées précieuses dans les pays colonisés ou lointains.

Plus généralement le mot « pacotille » désigne des choses de peu de valeur.

paddock (nom masculin)

Mot anglais signifiant : « enclos dans un pâturage ». C'est le lieu où l'on promène les chevaux avant la course pour les montrer et les échauffer.

Mais le «paddock», en langage familier, c'est également : «le lit, le plumard».

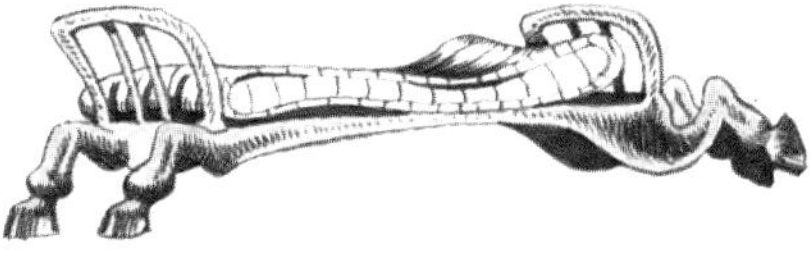

pagure (nom masculin)

C'est le nom savant du « bernard-l'ermite », ce crustacé au ventre mou qui se loge dans les coquillages vides.

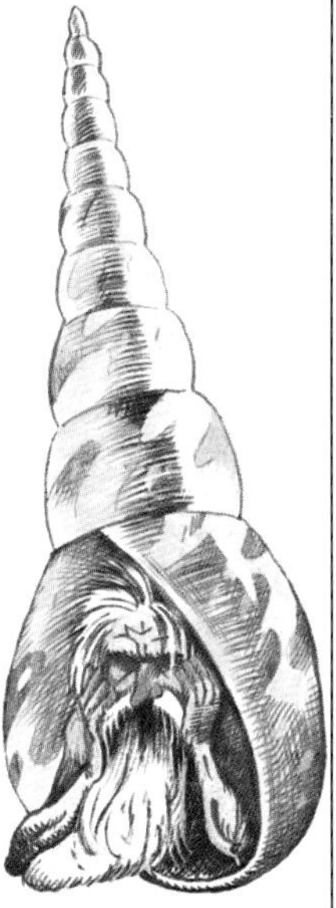

P

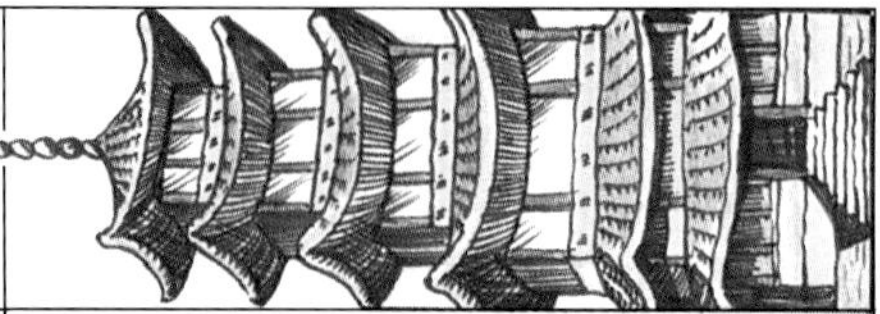

pagode (nom féminin)

Nom des temples en Extrême-Orient, en Chine, au Viêt-nam, etc.

Elle se compose de trois cours et des trois temples flanqués de chapelles accessoires et de dépendances. Ce lieu religieux ici n'enferme pas, comme en Europe, le mystère d'une foi... il établit un certain milieu et, suspendu entre ciel et terre, l'édifice mêle toute la nature à l'offrande qu'il constitue.

Paul Claudel

palanquin (nom masculin)

Litière portée à bras d'hommes dans les Indes.

Petite tente disposée sur le dos des chameaux ou des éléphants.

palefroi (nom masculin)

Au Moyen Age, cheval de marche et de parade.

Le cheval de combat est appelé le «destrier».

Si tu veux, faisons un rêve
Montons sur deux palefrois
Tu m'emmènes, je t'enlève
L'oiseau chante dans les bois.

Victor Hugo

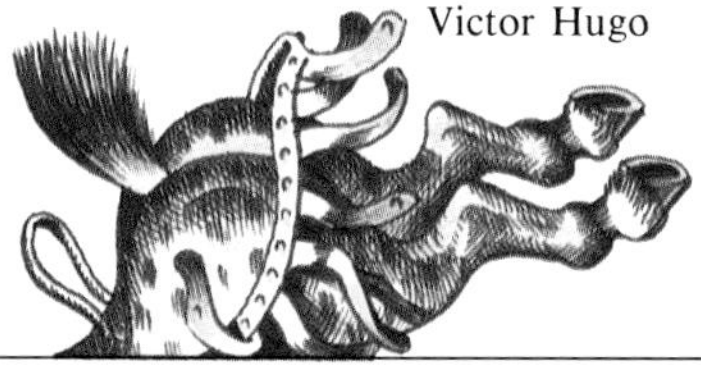

P

palétuvier (nom masculin)

Signifie «arbre courbé» dans une langue des Indiens au Brésil.

Les palétuviers sont des arbres souples qui bordent, dans les régions marécageuses des zones tropicales, les eaux et les rivières.

palme (nom féminin)

C'est le même nom que «paume» (de la main) et il désigne la feuille du palmier (qui ressemble à une main avec sa paume et ses doigts).

On nomme «palmes» des décorations en forme de palmes : les palmes académiques.

Enfin, les «palmes» ce sont les espèces de semelles de caoutchouc que l'on se met aux pieds pour nager plus vite et faire de la plongée sous-marine. Car ces semelles rappellent les pattes «palmées» (en forme de feuilles de palmier) des oiseaux « palmipèdes » : canards, oies, cygnes, etc.

Calme, calme
reste calme
Connais le poids
d'une palme
Portant
sa profusion.
Paul Valéry

P

Le pangolin
Lingot d'écaille
Casse ses ongles
Aïe, aïe, aïe, aïe,
Trésor des jungles
D'Angola
Le pangolin
Dégringola...
Gérard Bialestowski

pangolin (nom masculin)

Signifie en malais « animal qui s'enroule».

Mammifère couvert d'écailles et à longue queue.

panneton (nom masculin)

Provient d'un vieux mot français, le mot «pennon» qui signifiait «petit étendard».

Le «panneton» d'une clef est la partie de la clef qu'on introduit dans la serrure pour ouvrir ou fermer, et qui a la forme d'un petit drapeau.

panthère (nom féminin)

Mammifère carnassier de la famille des félidés (comme les chats).

Sa robe rousse est tachetée de noir, sauf chez la panthère d'Insulinde, «la panthère noire», entièrement noire.

Le feu noir qui me façonne
Brasier de crocs et de griffes
Je le broie dans mes mâchoires
L'arbre flaire mon musc
La nuit me muscle
Et tremble en moi comme une feuille.
Charles Dobzynski

paon (nom masculin)

Gros oiseau de la famille des gallinacés (comme la poule) et qui fait «la roue». C'est-à-dire... ?

On dit que les paons sont très vaniteux et de quelqu'un «qui s'en croit», on dit parfois «c'est un vrai paon».

En faisant la roue cet oiseau
Dont le pennage traîne à terre
Apparaît encore plus beau
Mais se découvre le derrière.

Guillaume Apollinaire

papillon (nom masculin)

Les papillons, qui commencent leur vie comme chenilles, sont des insectes pourvus de quatre ailes recouvertes de fines écailles de couleur.

Les papillons de jour sont plus éclatants, les papillons de nuit plus veloutés.

Il existe des milliers d'espèces de papillons et ils sont l'objet de collections parfois somptueuses.

papyrus (nom masculin)

Roseau d'Egypte avec lequel les anciens Egyptiens faisaient une sorte de papier. D'ailleurs le mot «papier» provient du mot «papyrus».

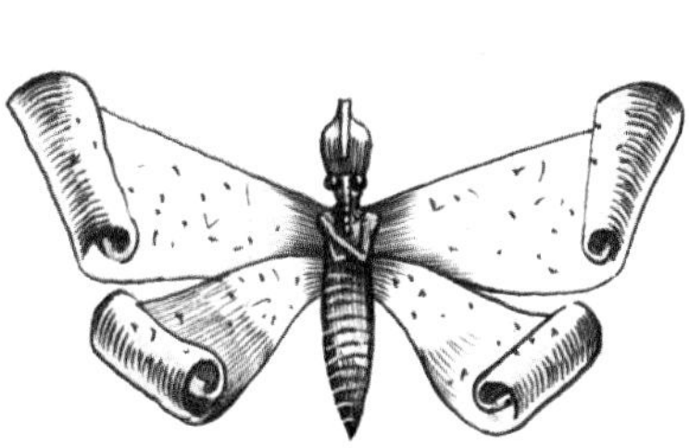

P

Une fleur tombée
remonte à sa branche
non
c'était un papillon

Moritake

Sur un papyrus
On fait des astuces
Sur un papillon
On fait des chansons
Sur un paprika
On fait des éclats
Sur un papier peint
On fait des refrains
Sur le pape à Rome
On fait te deum
Et sur ton papa
Fais du cinéma
Na !

G. Jean

P

Un livre de vers
sous la ramée,
Un pichet de vin,
une miche de pain...
et toi
A mes côtés
chantant
dans la solitude...
Et la solitude
est à présent
un paradis...
Omar Khayam

paradis (nom masculin)

Provient d'un mot latin qui signifie «jardin». Le «paradis terrestre» était le jardin où vivaient Adam et Eve.

Pour les croyants, le paradis est le lieu où les «justes» vivent après leur mort.

Quand on dit d'un lieu «c'est un vrai paradis» (ou encore un lieu «paradisiaque»), on veut dire que c'est un lieu très beau, où le bonheur est parfait, où il fait bon vivre.

parasite (nom masculin)

L'origine de ce mot est curieuse : chez les Romains, un «parasite» était un citoyen nourri aux frais de l'Etat, ou, dans un repas, un convive en plus, en trop, qui n'était pas invité.

On dit encore aujourd'hui d'un homme qui vit aux crochets des autres que c'est un «parasite».

Mais on le dit également des petites bêtes comme le pou, la puce, ou des végétaux, comme le gui, car ils vivent aussi aux dépens des autres.

Les «parasites», ce sont également les éléments qui perturbent les ondes de la radio ou de la télévision.

P

passerose (nom féminin)

Autre nom de la «rose trémière».

L'amour de moi s'y est enclose
Dedans un joli jardinet
Où croît la rose et le muguet
Et aussi fait la passerose.

Vieille chanson du XVe siècle

passiflore (nom féminin)

Ou «grenadille» ou «fleur de la passion» parce que ses fleurs évoquent par leurs formes les instruments de la Passion de Jésus-Christ : couronne d'épines, clous, etc.

pastel (nom masculin)

D'un mot italien signifiant «petit gâteau, pastille».

Le «pastel» est une pâte colorée avec laquelle on dessine. Les couleurs «pastel» sont douces et fines.

Les «pastels» sont les œuvres (tableaux et surtout portraits) faits avec cette matière.

pastèque (nom féminin)

Espèce de gros melon très vert à l'extérieur, tout rouge avec des pépins noirs à l'intérieur.

Très juteux et désaltérant au point qu'un proverbe provençal dit :

Quand on mange de la pastèque, on mange, on boit, et on se lave la figure.

P

Dans mon patelin
C'est là
qu'on est bien
On connaît les gens
On croise les vaches
On entend le temps
Sonner au clocher
On voit les saisons
Autour des maisons
Et dans le chemin
Contre mon jardin
Passe au crépuscule
Le dernier cheval
Du monde rural
Dans mon patelin.

G. Jean

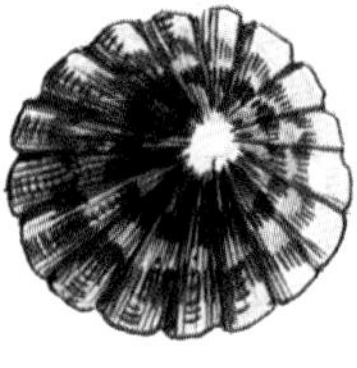

patelin (nom masculin)

Viendrait de « pâtis, petite pâture». Endroit où l'on vit.

En langage familier, un village, une ville...

patelle (nom féminin)

Chez les Anciens : «petite assiette».

Pour nous : «mollusque gastéropode prosobranche des côtes rocheuses à coquille conique non spiralée» ! (Vous avez compris ?)

Plus simplement ce sont les «berniques» ou «bernicles» ou «arapèdes» que l'on trouve collés aux rochers, au bord de la mer, comme de petits chapeaux pointus.

patibulaire (adjectif)

Le latin «patibulum» désignait « la fourche sur laquelle on mettait les esclaves pour les battre ».

«Patibulaire» signifie tout ce qui touche le supplice de la pendaison. Du gibet on dit que ce sont «les fourches patibulaires».

Avoir un air «patibulaire» c'est faire une bien mauvaise impression, celle que donne un « gibier de potence ».

P

pavois (nom masculin)

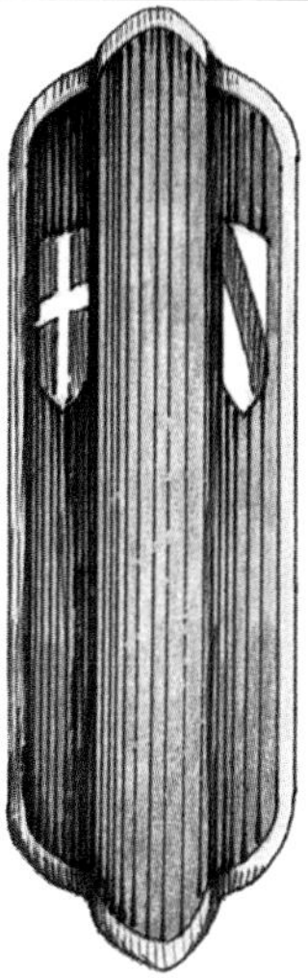

Pavie est une ville du nord de l'Italie dans laquelle on fabriquait jadis des casques et des boucliers.
Le «pavois», c'était un bouclier fabriqué à Pavie. Le mot a désigné le grand bouclier sur lequel on portait les rois pour les présenter aux guerriers et au peuple chez les Francs. C'est ainsi que nous avons tous appris que le roi de France Clovis fut «hissé sur le pavois».

Le «pavois» désigna également les boucliers disposés sur les flancs des navires. Puis les drapeaux et pavillons avec lesquels on signalait un bateau. On hisse le «grand pavois» pour les fêtes.

peccadille (nom féminin)

Littéralement «petit péché».

Une «peccadille», c'est une petite faute sans importance.

pécore (nom féminin)

Une «brebis», en latin.

Une «pécore» est une personne, une jeune fille «bête comme une brebis» ou la grenouille de la fable :

La chétive pécore
S'enfla si bien
qu'elle creva.
Jean de La Fontaine

P

pélican (nom masculin)

A l'origine du nom de cet oiseau se trouve un mot grec qui signifie «taillé à la hache». Peut-être parce que le pélican n'est pas très élégant de forme ?

Oiseau aquatique, gros, lourd et massif qui possède sous le bec une poche dans laquelle il accumule de la nourriture pour ses petits.

perdrix (nom féminin)

Oiseau trapu, gris ou rouge, qui constitue un gibier de choix. Les perdrix adolescentes s'appellent les «perdreaux». Quant à la «perdriole», c'est la perdrix de la chanson :

Au premier mois d'l'année
Que donn'rai-je à ma mie ?

Une perdriole, qui va qui vient qui vole
Une perdriole qui vole dans le bois.

Chanson enfantine

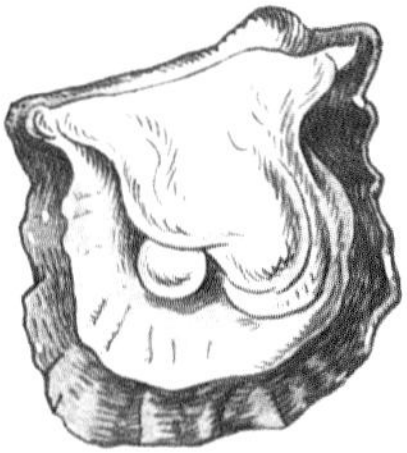

perle (nom féminin)

Grain de matière brillante, dure, nacrée, irisée qui se forme dans la coquille de certaines huîtres autour d'un grain de sable ou d'un corps étranger. On fait, avec les perles, des bijoux.

Une personne est «une perle» quand elle est parfaite !

C'est une vision de croire que les perles naissent de la rosée, et qu'elles sont molles dans la mer, qu'elles s'amaigrissent ou plutôt qu'elles avortent quand il tonne... La perle se forme par lits à la manière des oignons, et comme les œufs dans le corps de la poule.

Furetière

perroquet (nom masculin)

Mot qui proviendrait du prénom «Pierre».

Le perroquet est un oiseau assez gros de couleurs très vives et variées selon les espèces, et qui est capable de répéter des mots et même des phrases.

Une personne est «un vrai perroquet» quand elle répète sans comprendre.

Le perroquet qui se mordillait un ongle, abaissa son regard et, interrompant sa toilette, il intervint dans la conversation :
– Tu causes, dit Laverdure, tu causes, c'est tout ce que tu sais faire !

Raymond Queneau

P

pétanque (nom féminin)

Jeu de boules que l'on pratiquait autrefois, surtout en Provence, mais auquel on joue maintenant un peu partout en France.

« Pétanque » signifie en provençal «pied tanqué» : pied fixé, car à la pétanque on n'a pas le droit de sortir du rond et de bouger les pieds en lançant la boule.

La pétanque se joue sur tout terrain à la différence du jeu de boules lyonnaises.

Une partie
de pétanque,
Ça fait plaisir,
Tu la vises
et tu la manques
Règle ton tir.

Chanson de
V. Sarvil et V. Scotto

P

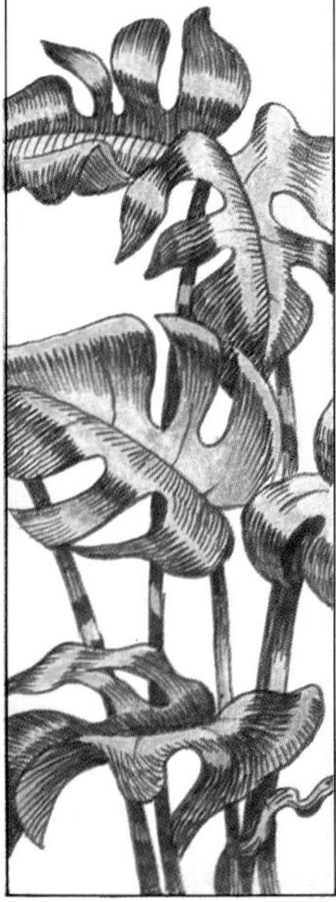

pétrole (nom masculin)

Vous en avez entendu parler !

Mais saviez-vous que le mot «pétrole» signifie «huile de pierre » ? Car le pétrole provient de la lente décomposition, dans les profondeurs de la terre, d'organismes vivants. On dit aussi « l'or noir ».

phalène (nom masculin)

Le phalène est un papillon au vol vacillant.

La tempête s'éloigne et les vents sont calmés.
La forêt qui frémit pleure sur la bruyère ;
Le phalène doré dans sa course légère
Traverse les prés embaumés.

Alfred de Musset

phasme (nom masculin)

Provient d'un mot grec qui signifie «apparition, vision, fantôme», parce-que le phasme est un insecte qui ressemble à une brindille de bois et qui passe inaperçu.

philodendron (nom masculin)

Signifie «qui aime les bois». C'est une plante de l'Amérique tropicale qui aime vivre sous les grands arbres.

Le philodendron est devenu une plante ornementale très répandue dans nos maisons.

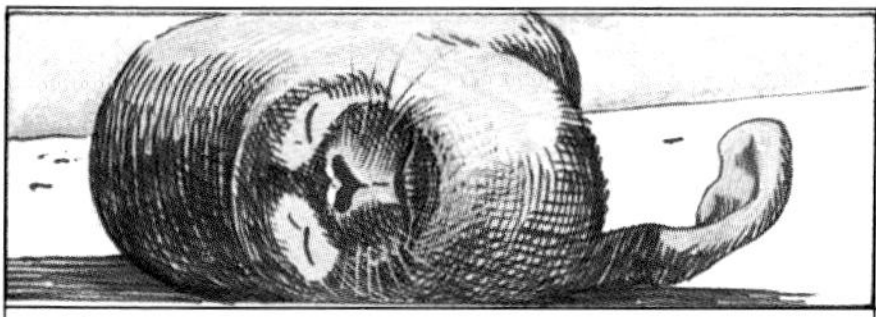

P

phoque (nom masculin)

Ou «veau marin». Mammifère, carnassier, amphibie, cousin de l'otarie ; mais le phoque n'a pas d'oreilles.

Il vit surtout dans les mers polaires, où on le chasse pour sa chair, sa graisse, sa fourrure.

Une grosse tête était sur l'eau,
celle d'un gros phoque poilu
Une grosse tête aux gros yeux,
et ses moustaches brillaient
d'où tombaient des gouttes d'eau.
Et le phoque s'en vint doucement
de mon côté
Mais je ne l'ai pas harponné !
Pourquoi ?
Peut-être par pitié ?
Peut-être parce qu'il faisait beau
Et que le phoque jouissait du soleil
comme moi.

Poème eskimo

pic (nom masculin)

Je ne parle que de l'oiseau... Cet oiseau qui se nourrit en frappant de son bec les troncs des arbres pour déloger les insectes qui vivent sous les écorces et dont il se nourrit. On dit encore le « pivert », mais en France on rencontre également, le «pic épeiche», le «pic noir», etc.

Toc toc toc
Toc le pic
A la porte
De l'écorce
De son bec
De pivert.
Bec de fer
Fer de bêche
Pic épeiche
Par la brèche
Aussi sec
Le pic croque
Tous les vers

G. Jean

P

pieuvre (nom féminin)

Ou « poulpe ». Animal marin qui possède des tentacules munis de ventouses, un bec de perroquet, des yeux «au regard de soie», disait un poète, qui jette de l'encre quand il a peur et qui se déplace selon le principe des avions à réaction.

Jetant son encre vers les cieux
Suçant le sang de ce qu'il aime
Et le trouvant délicieux
Ce monstre inhumain c'est moi-même.

Guillaume Apollinaire

pigeon (nom masculin)

Vous connaissez tous les pigeons, ceux des villes et ceux des champs (les pigeons ramiers) et les pigeons voyageurs qui portent les messages, etc.

pipit (nom masculin)

Tout petit oiseau brun familier des vieilles maisons et qui nous appelle en faisant «pipit ! pipit ! pipit !...»

pirate (nom masculin)

D'un verbe grec qui signifie «entreprendre».

Un pirate pense qu'il peut tout entreprendre ! Mais le mot désigne surtout les bandits qui se livraient au brigandage sur les mers.

Un «pirate de l'air» est un monsieur ou une dame qui tente de détourner un avion sous la menace.

P

piranha (nom masculin)

Méchant petit poisson qui vit dans le fleuve Amazone, et qui est si vorace qu'il dévore tout ce qui lui tombe sous les dents (elles sont acérées et très aiguës).

pirogue (nom féminin)

Bateau léger et effilé, creusé souvent dans un seul tronc d'arbre et que l'on fait avancer avec des pagaies.

pistolet (nom masculin)

Arme à feu que l'on tient d'une main.

«... il y a des pistolets d'arçons, des pistolets de ceinture et des pistolets de poche» (Furetière).

D'un homme bizarre on dit parfois : «c'est un drôle de pistolet ».

pivoine (nom féminin)

«Fleur rouge et fort touffue comme une grosse rose. Ainsi quelques-uns l'appellent "rose de Notre-Dame"... Pline dit qu'il la faut cueillir de nuit, de peur que le pic-vert qui la défend ne vienne crever les yeux de celui qui la cueille... Il y en a aussi de blanches et de couleur chair... Elle fleurit en mai» (Furetière).

Quand les pivoines
fleurissent
il semble
qu'il n'est plus
d'autres fleurs
autour d'elles

Kiichi

P

Les beaux jours
s'en vont
les beaux jours
de fête
Soleils et planètes
Tournent tous
en rond
Mais toi ma petite
Tu marches
tout droit
Vers sque
tu vois pas.
Raymond Queneau

plage (nom féminin)

Etendue de galets ou de sable sur laquelle la mer déferle.

Les « plages avant, et arrière » sur un bateau sont des espaces plats. On dit également la «plage arrière» d'une voiture.

Douce plage où naquit mon âme ;
Et toi savane en fleur
Que l'Océan trempe de pleurs
Et le soleil de flammes.
P.-J. Toulet

plancton (nom masculin)

Provient d'un vieux verbe grec qui signifiait «errant, instable».

Le plancton est constitué de toutes les minuscules bestioles qui flottent dans l'eau de la mer et dont se nourrissent les baleines.

planète (nom féminin)

D'un mot grec signifiant «qui vagabonde». Une planète est un astre qui ne produit pas de lumière par elle-même. Les planètes du système solaire, Mercure, Vénus, la Terre, Mars, Jupiter, Saturne, Uranus, Neptune et Pluton, tournent autour du Soleil.

P

plexiglass (nom masculin)

«Verre qui se plie».

Matière plastique qui remplace le verre et qui est souple.

poésie (nom féminin)

Bien placés bien choisis
quelques mots font une poésie
les mots il suffit qu'on les aime
pour écrire un poème
on sait pas toujours ce qu'on dit
lorsque naît la poésie
faut ensuite rechercher le thème
pour intituler le poème
mais d'autres fois on pleure on rit
en écrivant la poésie
ça a toujours kekchose d'extrême
un poème.

Raymond Queneau

poète (nom masculin)

Un poète est un monde enfermé dans un homme.

Victor Hugo

Le poète est celui qui inspire bien plus que celui qui est inspiré.

Paul Eluard

Dès qu'un poète se réveille, il est idiot. Je veux dire intelligent.

Jean Cocteau

poignard (nom masculin)

Arme, couteau qu'on tient dans un poing fermé, d'où son nom.

P

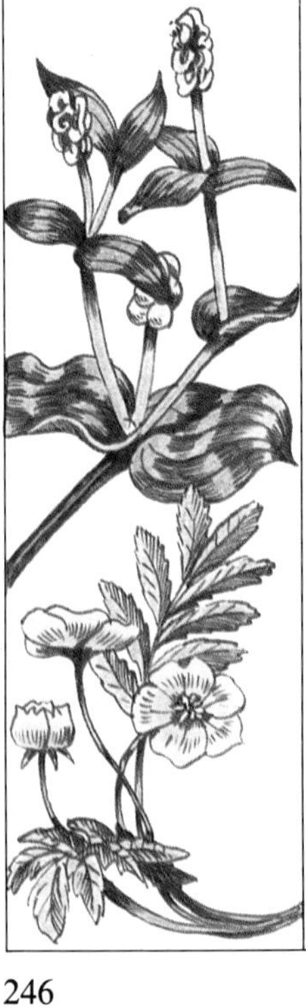

polichinelle (nom masculin)

Du parler de Naples, qui donnait le nom de «Pulcinella» à une marionnette qui représentait un homme peu dégourdi.

Marionnette ayant une bosse par devant, une bosse par derrière, ivrogne et bruyant.

Un «secret de polichinelle» n'est un secret pour personne.

Polichinelle a un secret
Et dans son cœur triste il le met
Ce n'est pas un très grand secret
Le secret de polichinelle
Ce secret vous le connaissez :
Il ne vit qu'avec des ficelles !

G. Jean

pollen (nom masculin)

Poudre jaune très fine que produisent les étamines de la plupart des fleurs. Les abeilles butinent le pollen.

Que j'envie ta sagesse ô diligente abeille
Alambic des pollens qu'a distillés le ciel
Tricoteuse de cire et fileuse de miel
Pas un fil de tristesse au fond de ta corbeille.

Bernard Lorraine

potamogéton (nom masculin)

Ou « potamot ». Tout simplement le nom très sonore d'une plante aquatique de nos rivières.

potentille (nom féminin)

D'un mot latin qui signifiait «plante de petite vertu».

La potentille est une plante à fleurs qui était utilisée en pharmacie.

P

poterne (nom féminin)

La porte secrète qui faisait communiquer l'intérieur d'une forteresse, d'un château-fort, avec le fossé extérieur.

potiron (nom masculin)

Espèce de courge ou citrouille, jaune, verte ou rouge. Pesant parfois jusqu'à 10 kg. Ma grand-mère faisait de merveilleux potages, de délicieuses tartes, des gratins divins au potiron.

Potiron
Tourne en rond
Potasson
Fais du son
Postillon
Mang' du lion
Pot pourri
Va au lit
Hi !

G. Jean

pot-pourri (nom masculin)

De «pot» (marmite) et de «pourri». A l'origine, un «pot-pourri», est quelque chose qui est dans un pot et se décompose. Ou encore un ragoût composé de divers légumes et diverses viandes cuites ensemble.

Ce sont aussi des extraits musicaux ; des chansons, des textes mélangés sans beaucoup d'ordre.

poubelle (nom féminin)

Le 15 janvier 1884, le Préfet de la Seine, Monsieur Eugène Poubelle (1831-1907) imposa aux Parisiens par ordonnance l'usage d'une boîte fermée pour y déposer les ordures. C'est la «poubelle» ou « boîte à ordures ».

P

poupe, proue (noms féminins)

La poupe : l'arrière d'un bateau.
La proue : l'avant d'un bateau.

pourpre (nom féminin ou adjectif)

Coquillage appelé «murex brandaris» et dont les anciens Grecs et Romains tiraient une matière colorante d'un beau rouge violacé et éclatant.

La couleur «pourpre» était le symbole de la richesse et du pouvoir. Les empereurs romains portaient des vêtements de «pourpre». On disait «la pourpre impériale». Comme aujourd'hui les cardinaux qui sont revêtus de la «pourpre cardinalice».

préhistoire (nom féminin)

L'histoire commence au moment où l'on dispose de documents écrits pour la raconter. La préhistoire est la période qui s'étend avant l'histoire. Elle se termine vers 8000 avant J.-C.

La principale différence entre les sources du préhistorien et celles de l'historien, c'est que le premier détruit son document en le fouillant.

A. Leroi-Gourhan

presse (nom féminin)

Sert à comprimer du métal, du papier, etc. et surtout à imprimer.

Et c'est ce que l'on imprime : les journaux. Les expressions «la grande presse», une «revue de presse» sont courantes.

prestidigitateur
(nom masculin)

Ce mot signifie littéralement «qui a les doigts prestes».

C'est un monsieur ou une dame qui «fait des tours de passe-passe», et qui donne des illusions de magie grâce à son habileté manuelle.

On dit encore «manipulateur, illusionniste».

preux (nom masculin et adjectif)

Au Moyen Age, chevalier ayant toutes les qualités de loyauté et de courage.

Le bon roi Charles est plein de douleur et d'ennui
Son cheval syrien est triste comme lui.
Il pleure. L'Empereur pleure de la souffrance
D'avoir perdu ses preux, ses douze pairs de France
Ses meilleurs chevaliers qui n'étaient jamais las,
Et son neveu Roland, et la bataille hélas !

Victor Hugo

P

prophète (nom masculin)

Celui qui « annonce l'avenir ». Au féminin «prophétesse».

Celui qui annonce la venue de Dieu.

Un prophète fait des «prophéties».

Les prophètes ont toujours tort d'avoir raison.

Proverbe hébreu

prospecteur (nom masculin)

Celui qui prospecte, c'est-à-dire qui cherche ce qu'il voudrait bien trouver : de l'or, un trésor, du pétrole, de l'uranium...

Et j'aime bien ce mot parce qu'il me fait rêver aux chercheurs d'or dans les westerns.

proverbe (nom masculin)

Littéralement «qui est mis à la place d'un mot».

Un proverbe (ou «adage, dicton») est une phrase très courte et pleine de sens et qui contient un conseil, une morale, une mise en garde.

Les proverbes ressemblent aux papillons ; on en attrape quelques-uns, les autres s'envolent.

Proverbe allemand

Un bon proverbe ne frappe pas aux sourcils mais dans les yeux.

Proverbe russe

Un démon poli vaut mieux qu'un saint grossier.

Proverbe libanais

On gagne toujours à taire ce qu'on n'est pas obligé de dire.

Proverbe chinois

prunelle (nom féminin)

« Petite prune ». Fruit du prunelier dont on fait par distillation un alcool blanc très parfumé : la liqueur de prunelle.

Par analogie on a appelé «prunelle» l'ouverture ronde et noire située au centre de l'œil et par laquelle passe la lumière.

Cette ouverture est encore nommée «pupille». Et ce mot a une origine amusante : une pupille c'est une petite fille (même mot que poupée). On peut dans la pupille voir se refléter les choses, et les objets et les gens en tout petit.

P

Je vois avec
étonnement
Le feu de ses
prunelles pâles
Clairs fanaux
vivantes opales
Qui me contemplent
fixement.
Charles Baudelaire

ptérodactyle (nom masculin)

« Genre de reptile volant de l'ère secondaire comprenant une douzaine d'espèces, dont la taille variait de celle d'un moineau à celle d'un aigle, qui avaient la queue courte, le bec long et pointu muni de fortes dents, une aile très vaste dépendant du petit doigt de la main démesurément allongé et dont la peau était vraisemblablement nue ». (Grand Larousse de la Langue Française)

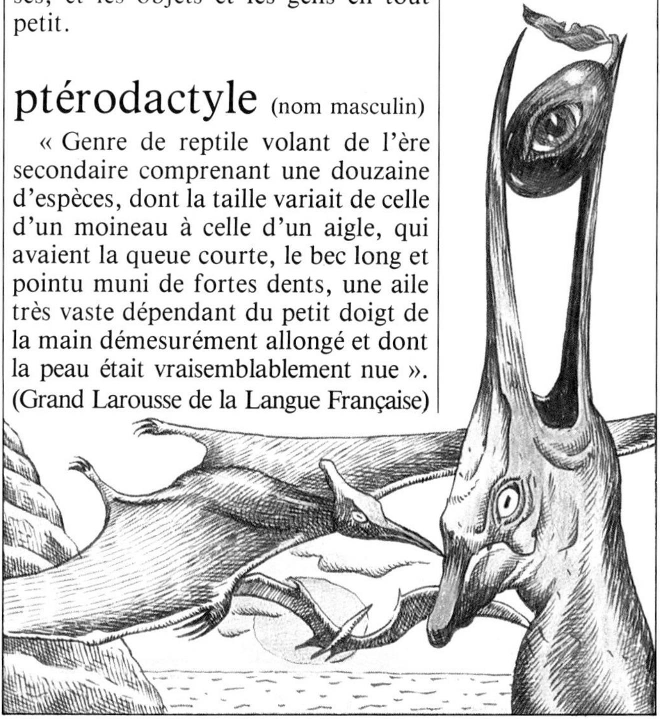

P

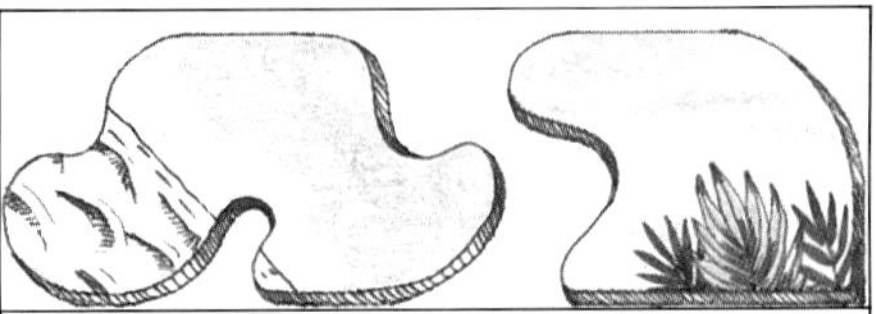

publicité (nom féminin)

Autrement dit la «pub». Vous connaissez bien, dans les journaux, sur les murs, à la télévision, à la radio, ses images, ses slogans comme celui-ci :

Pour devenir intelligent
pour en avoir pour son argent
pour s'amuser sans ses parents
un seul livre : le plaisir des mots !

puzzle (nom masculin)

Prononcer : «peuzle ou peuzeule».

Mot anglais signifiant «embarras».

Jeu de patience qui consiste à assembler des petits morceaux de bois, de carton ou de matière plastique pour reconstituer une image.

pyramide (nom féminin)

Les pyramides sont des monuments que l'on trouve en Egypte et au Mexique. Ils servaient de tombeaux aux grands personnages égyptiens et aux seigneurs mexicains et mayas.

Une colle : connaissez-vous les noms des grandes pyramides d'Egypte ?

Le quetzal
Ce n'est pas un métal
Pas du tout oh pas du tout
C'est le nom pas très banal
De l'oiseau couroucoucou
Dont la queue est idéale
Pour se faire un tour de cou !

G. Jean

Q

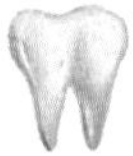

quartz (nom masculin)

Silice cristallisée.

Ce sont des minuscules cristaux ou des lames de quartz qui font marcher les montres modernes.

quenotte (nom féminin)

Surtout employé au pluriel.

D'un vieux-mot normand signifiant «dent». Les «quenottes» sont les dents, pour les petits enfants.

Bébé quenotte
Bébé grignotte
Bébé souris
Bébé ravi
Quenotte pousse
Bébé mon pouce
Quenotte perle
Quenotte belle
Dodo quenotte
Bébé marmotte
Car c'est la nuit !

G. Jean

quenouille (nom féminin)

Tige de roseau sur laquelle on disposait la laine ou le lin pour les filer.

quincaillerie (nom féminin)

Du mot «quincaille», qui évoque tout simplement le bruit des objets en fer, fer-blanc, cuivre, zinc, aluminium que l'on vend dans les quincailleries.

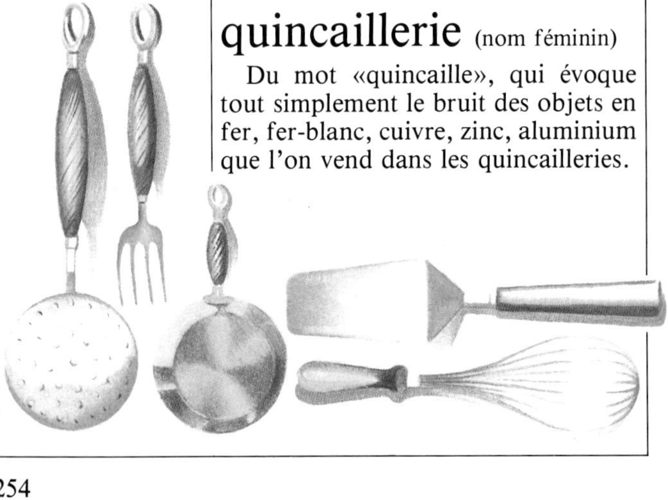

Je te vois, rose,
livre entrebâillé,
qui contient
tant de pages
qu'on ne lira jamais.
Rainer Maria Rilke

R

Avec un radar
On troue
le brouillard
On voit les lézards
Dans la nuit
très noire
Et les carambars
Au fond des bazars.

G. Jean

rabouiller (verbe)

C'est troubler l'eau d'un ruisseau comme si on la faisait «bouillir», pour effrayer les poissons ou les écrevisses et les attraper plus facilement.

raclée (nom féminin)

«Correction, volée, tournée, peignée, tripotée...» Autrement dit quand on prend une raclée «on se fait cogner».

radar (nom masculin)

Mot anglais, abréviation de «détection et télémétrie par radioélectricité» , par lequel on désigne un appareil utilisé sur les bateaux, les avions, dans les aéroports, etc. pour repérer à distance les objets qu'on ne voit pas directement.

radio (nom féminin et préfixe)

Ce mot, tiré du latin «radius» : rayon lumineux, est utilisé dans un grand nombre de termes scientifiques. Vous les apprendrez plus tard.

Pour nous maintenant, la «radio», c'est surtout la «radiodiffusion», la vieille «télégraphie sans fil» (T.S.F.). Et on dit souvent «la radio», en montrant le poste, ou récepteur de radiodiffusion. Le terme est également employé dans des expressions comme : «ils l'ont dit à la radio» (pour ne pas dire «ils l'ont dit dans le poste»).

Un «radio» (au masculin) c'est un opérateur qui s'occupe de la «radio» sur un bateau, dans un avion, etc.

R

radium (nom masculin)

Métal «radioactif» («qui émet des rayons») découvert par Pierre et Marie Curie en 1898.

La poésie, c'est comme le radium ; pour en obtenir un gramme il faut des années d'efforts.

Maïakowski

rainette (nom féminin)

«Raine» est l'ancien nom de la grenouille.

La rainette est une petite grenouille, aux pattes munies de ventouses et qui vit dans les arbres près des mares et des étangs.

Le cri de la rainette emplit la nuit d'été.

Le vent souffle sur les forêts,
O pluie, tes cavaliers humides
Sans bruits galopent sur les toits.
– Un léger babil de rainette...
Si tu m'aimais aussi, vois-tu
J'arroserais la roseraie.

Maurice Fombeure

raiponce (nom féminin)

Un genre de salade.

R

rallye (nom masculin)

Encore du «franglais», dira-t-on. Pour une fois, ce sont les Anglais qui nous ont pris le verbe «rallier» pour faire «rallye».

Un rallye est un rassemblement d'automobiles, de vélos, de piétons, etc. qui doivent «rallier» le même endroit par des routes différentes.

Exemple : le «rallye» de Monte-Carlo qui est une épreuve de sport automobile.

ramage (nom masculin)

Les «ramages», ce sont les «rameaux», les petites branches. Le ramage est également un mot très poétique par lequel on évoque le chant des oiseaux qui vivent dans le «ramage».

Hé ! bonjour Monsieur du Corbeau
Que vous êtes joli, que vous me semblez beau !
Sans mentir, si votre ramage
Se rapporte à votre plumage
Vous êtes le Phénix des hôtes de ces bois.

Jean de La Fontaine

R

ramdam (nom masculin)

Mot arabe provenant du mot «ramadan». Le ramadan est une période de jeûne chez les musulmans. Ils ne mangent rien entre le lever et le coucher du soleil. Mais la nuit venue, certains se rattrapent et font du bruit : «un vrai ramdam».

On dit également : «du barouf, du chambard, du raffut, un vrai tintamarre !»

ramentevoir (se) (verbe)

Vieux mot signifiant «se souvenir».

ramequin (nom masculin)

Un petit récipient de terre cuite ou de faïence pour y mettre la mousse au chocolat, la crème caramel et autres bonnes choses.

ramoneur (nom masculin)

Le verbe «ramoner» provient du mot «ramon» qui, en ancien français, était le nom que l'on donnait à un «balai de branches». Le ramoneur est celui qui balaie la suie des cheminées.

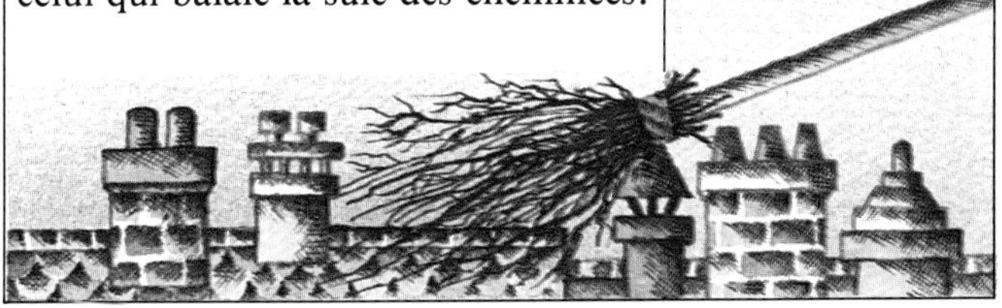

R

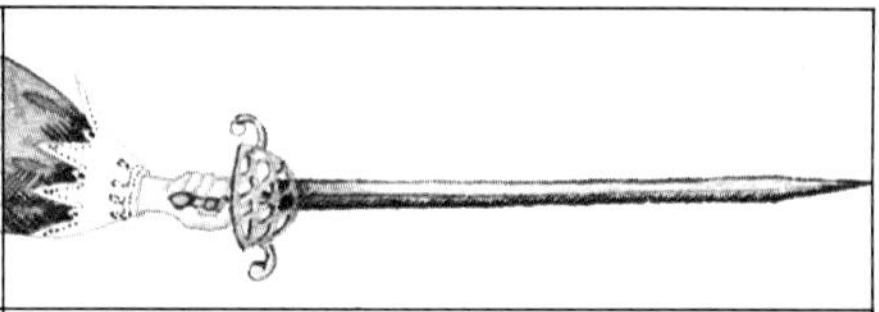

rapière (nom féminin)

Epée longue et effilée avec laquelle on frappait d'estoc (de la pointe).

Voyant qu'il n'y avait pas moyen de faire une reculade, Matamore s'enfonça son feutre jusque sur les yeux, retroussa sa moustache, mit la main à la poignée de son immense rapière et s'avança sur Léandre qu'il toisa des pieds à la tête le plus insolemment qu'il pût.

Théophile Gautier

La rascasse
ne se caresse,
que des lèvres,
dans la bouillabaisse.
Dicton marseillais

rascasse (mot féminin)

Mot provençal qui semble provenir d'un mot latin qui signifiait «racler».

La rascasse est un poisson de roche, à grosse tête et au corps hérissé d'épines venimeuses dont la piqûre est très douloureuse. Il n'y a pas de bonne bouillabaisse sans rascasse.

rasibus (adjectif)

«Ras, tout près». Mon verre est plein «rasibus» et mes cheveux sont coupés «rasibus» !

rastaquouère (nom masculin)

D'un mot espagnol utilisé au Mexique et qui signifie «qui ratisse le cuivre» ou «qui rafle les portefeuilles».

Un «rastaquouère» est un «étranger» qui a gardé quelque chose d'exotique et étale un luxe exagéré.

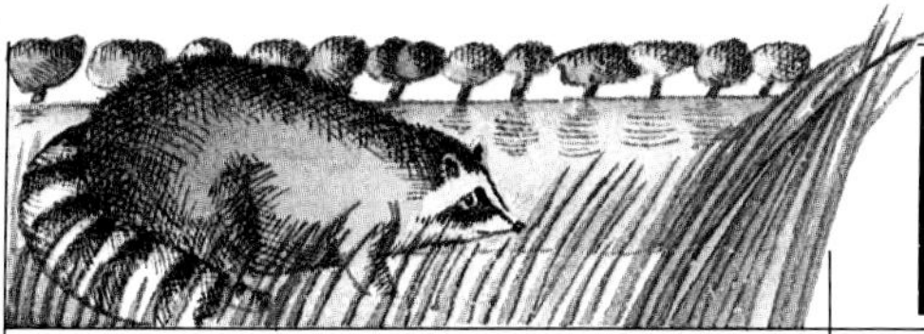

R

raton laveur (nom masculin)

Mammifère carnassier (qui n'a rien d'un rat !) que l'on trouve en Amérique, au Canada, au Brésil. Il est appelé «laveur» parce qu'il a l'habitude de laver ses aliments à l'eau claire avant de les manger.

Une pierre
deux maisons
trois ruines
quatre fossoyeurs
un jardin
des fleurs
un raton-laveur.

Jacques Prévert

rayon (nom masculin)

Ce mot évoque bien des choses :

Une raie lumineuse qui part d'une source : «un rayon de soleil».

Diverses sortes de radiations, d'ondes qui possèdent la propriété de traverser les corps opaques : «les rayons X».

Un rayon, c'est la moitié d'un diamètre : «un rayon de vélo».

Les rayons ce sont également les gâteaux de cire dans lesquels les abeilles déposent leur miel.

Et on peut citer aussi : «les rayons d'une bibliothèque», «les rayons d'un grand magasin».

C'est un trou de verdure où chante une rivière
Accrochant follement aux herbes des haillons
D'argent ; où le soleil de la montagne fière,
Luit : c'est un petit val qui mousse de rayons.

Arthur Rimbaud

R

razzia (nom féminin)

D'un mot arabe signifiant «attaque» : expédition militaire en territoire ennemi au cours de laquelle on emporte des marchandises et des prisonniers.

Faire une «razzia» c'est prendre quelque chose en quantité et rapidement.

rebelle (nom masculin et adjectif)

D'un mot latin qui signifie «qui recommence la guerre».

Un ou une rebelle est quelqu'un qui refuse de se soumettre aux autorités, par exemple.

Une mèche de cheveux «rebelle», elle, refuse de se soumettre au peigne.

On peut dire encore,avec des nuances : «contestataire, dissident, factieux, guérillero, insoumis, insubordonné, insurgé, maquisard, mutin, résistant, révolté, révolutionnaire...»

rébus (nom masculin) *(Voir page 330).*

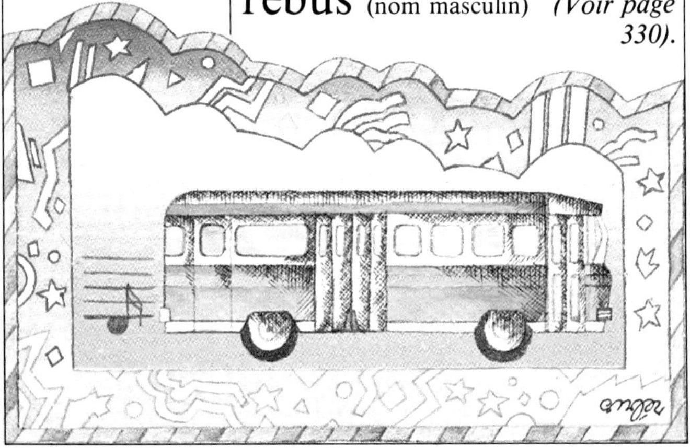

R

récif (nom masculin)

Mot d'origine arabe qui signifiait : «digue, chaussée». Actuellement, un récif est un rocher à fleur d'eau qui constitue un danger pour les navigateurs.

Nous frôlions des récifs tout blancs
d'écume
C'était la salive de l'océan.

Loys Masson

record (nom masculin)

Encore un mot que les Anglais nous ont pris et que nous avons repris. Record vient en effet d'un vieux verbe français «recorder» qui signifiait «enregistrer». Un «record» sportif est un exploit que l'on enregistre et qui est supérieur à ceux qui ont été enregistrés avant lui. Un record de France, du monde, etc.

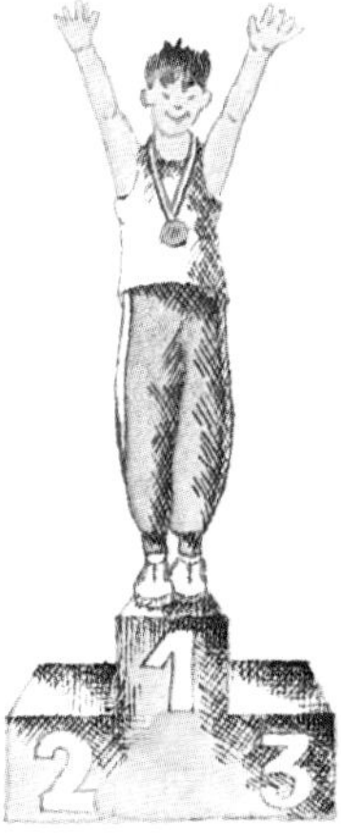

recroqueviller (se) (verbe)

En entendant ce verbe, on «voit» ce qu'il signifie : «se racornir, se rétracter, se rabougrir...»

La petite vieille
Recroquevillée
Croquant des croquettes
Recroquevillées
Craquante, croquantes
Dans un vieux panier
Recroquevillé
Hié !

G. Jean

R

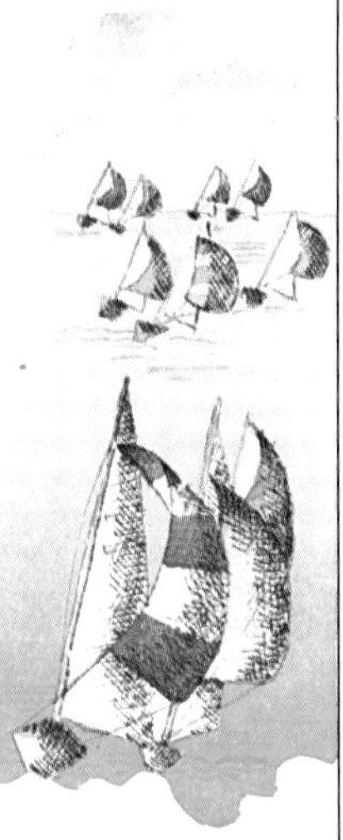

refrain (nom masculin)

Vient du verbe «refraindre» : «briser».

Un refrain, ce sont ces mots qui se répètent entre chaque strophe d'une chanson ou d'un poème et brisent la continuité des paroles et de la musique. Aussi : «rengaine, ritournelle».

J'ai un long voyage à faire,
Je ne sais qui le fera.
Si j'le dis à l'alouette,
Tout le monde le saura.

REFRAIN
La violette double double,
La violette doublera.

Vieille chanson française

régate (nom féminin)

Quand vous voyez, sur la mer ou un lac, une course de dériveurs, de voiliers, vous doutez-vous que ce mot a été emprunté à l'italien «regata» qui désignait les courses de gondoles, sur le Grand Canal à Venise ?

réglisse (nom féminin)

Il est amusant de penser que le mot «réglisse» proviendrait du mot «règle», parce que, jadis, la réglisse était vendue par petits bâtons ressemblant à des règles.

Je parle de la «réglisse en bois», cette racine d'arbuste, que, dans mon enfance, on suçait et mâchonnait.

rémige (nom féminin)

Les rémiges, ce sont les plus grandes plumes des ailes des oiseaux.

L'origine de ce mot est poétique : il provient d'un mot latin qui signifiait «rameur». Comme si l'oiseau «ramait» dans l'air à l'aide de ces plumes.

rémora (nom masculin)

Ce mot provient curieusement d'un mot latin qui signifiait : «obstacle», «retard», parce que l'on croyait que le rémora, le poisson, avait le pouvoir de ralentir et même d'arrêter les bateaux en se fixant sur leur quille.

Le rémora est un poisson qui, à l'aide des ventouses de sa tête, s'accroche à d'autres poissons plus gros, les requins par exemple, ou sur les tortues marines.

rempart (nom masculin)

Mot employé souvent au pluriel.

L'origine de ce mot est curieuse : le verbe «emparer» signifiait «munir d'une protection». Se «remparer», c'était se protéger à nouveau. Un rempart est un élément de fortification qui protège doublement une ville, une forteresse.

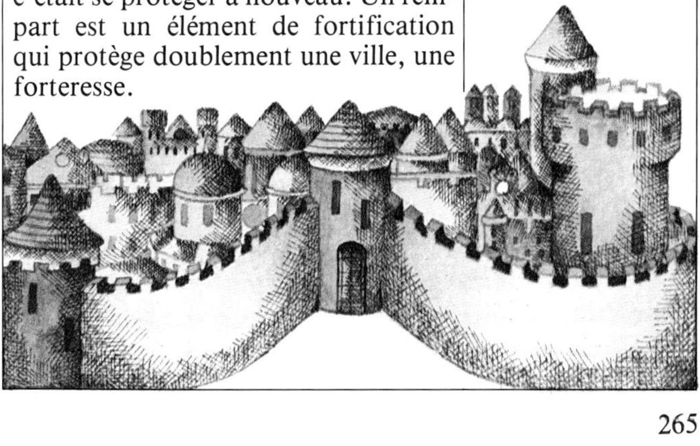

R

renard (nom masculin)

Vous avez tous entendu parler du renard. Vous en avez vu. Mais savez-vous qu'en réalité «renard» est le nom propre du «goupil», dans de très vieilles histoires des XIIe et XIIIe siècles, dont l'ensemble constitue : *Le Roman de Renart*. Le «goupil» se nommait Renart ; le lion, Noble ; le loup, Isengrin, etc.

Le renard a la réputation d'être très rusé :

Capitaine Renard allait de compagnie
Avec son ami bouc des plus haut encorné.
Celui-ci ne voyait pas plus loin que son nez ;
L'autre était passé maître en fait de tromperie.

Jean de La Fontaine

renne (nom masculin)

Un mot norvégien qui désigne une espèce de mammifère vivant dans le grand Nord, en Laponie par exemple.

«Les Lapons et les Esquimaux tiennent le renne dans une demi-domesticité. Ces cervidés sont le seul bétail du pays ; ils s'emploient aussi comme bête de trait. Leur chair, leur sang, leur lait sont parmi les principales ressources des esquimaux qui emploient leur cuir, leurs bois, leurs tendons à toutes sortes d'usages» (Larousse).

renoncule (nom féminin)

Cette espèce de fleur, dont la plus connue est le «bouton d'or», porte en latin le même nom que celui de la petite grenouille «ranonculus». Parce que les renoncules d'eau sont abondantes dans les marais où vivent les grenouilles.

Quand j'étais enfant, mon père me récitait une petite fable dont il ignorait l'auteur et qui s'intitulait : «La renoncule et l'œillet».

La renoncule un jour
Avec l'œillet se trouva réunie !
Elle eut le lendemain le parfum de l'œillet.
Morale :
On ne peut que gagner en bonne
compagnie !

reptile (nom masculin)

D'un mot latin qui signifie «animal rampant». Les reptiles qui n'ont ni poils ni plumes sont des animaux à sang froid, et qui, comme les serpents, les lézards, se déplacent en rampant.

Jadis, le mot «reptile» était parfois utilisé pour nommer tout ce qui se «traînait sur le ventre». On lit ainsi dans le dictionnaire de Furetière :

«Dieu a fait le serpent ''reptile'' par punition ; il lui a ordonné de marcher sur le ventre. Les vers de terre, les chenilles, les lézards se mettent au rang des reptiles.

Reptile se dit abusivement des fruits et des plantes qui n'ont pas la force de se soutenir sur leurs tiges comme les citrouilles, les concombres.»

R

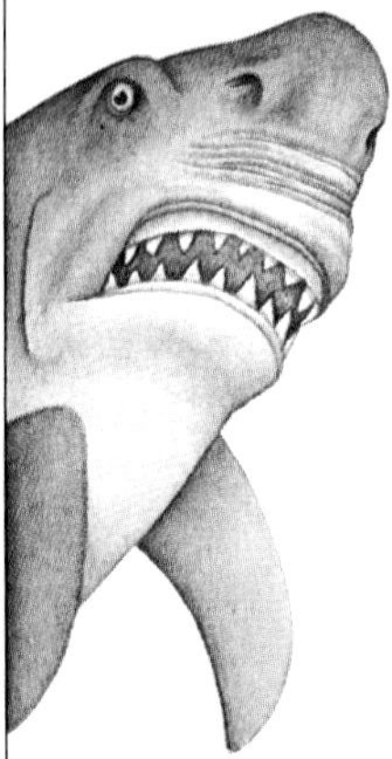

requin (nom masculin)

On appelle encore le requin «chien de mer». Ce poisson souvent carnivore, au corps effilé, au museau pointu, a la réputation de dévorer, à l'aide de sa large gueule et de ses dents acérées, les nageurs imprudents qui passent à sa portée.

On dit également d'un homme impitoyable et cruel envers les autres, c'est «un véritable requin» (un forban, un margoulin, etc.).

Moi, si cela avait pu dépendre de ma volonté, j'aurais voulu être plutôt le fils de la femelle du requin, dont la faim est amie des tempêtes, et du tigre à la cruauté reconnue. Je ne serais pas si méchant.

Lautréamont

réséda (nom masculin)

Plante à fleurs souvent odorantes et qui était cultivée parce qu'elle calmait les douleurs. On l'appliquait sur les plaies, les tumeurs et on disait «réséda» (mot latin signifiant: «calme, guérit !») D'où son nom (d'après un naturaliste du XVIe siècle).

Même j'ai retrouvé debout la Velleda
Dont le plâtre s'écaille au bout de l'avenue,
Grêle parmi l'odeur fade du réséda.

Paul Verlaine

rêver (verbe)

Ce verbe provient d'un verbe latin qui signifiait «vagabonder».

«Rêver», c'est bien «errer ailleurs» soit pendant le sommeil lorsque des images merveilleuses ou épouvantables, souvent bizarres, défilent comme un film, soit les yeux ouverts. Alors on rêvasse, et cet état de rêve éveillé se nomme également la «rêverie».

Les rêves, ce sont également toutes les choses que l'on voudrait avoir et que l'on n'a pas, tous les voyages que l'on voudrait faire, etc.

On dit encore «songer, les songes, la songerie».

réverbérer (verbe)

Signifie «repousser, faire rebondir la lumière, la renvoyer».

Un réverbère est une lanterne qui renvoie la lumière. Ce sont les réverbères qui éclairent les rues et les places des villes. Aujourd'hui les réverbères ou «lampadaires» sont munis d'ampoules électriques. Jadis quand les réverbères fonctionnaient au gaz on disait «des becs de gaz» ; et parmi les petits métiers des rues on notait les «allumeurs de réverbères».

J'aime à voir dans les flots briller les réverbères
C'est un concert de nuit ; c'est la grande cité,
Avec ses yeux de feu qui de loin me regardent
C'est la voix d'une ronde ou le fusil d'un garde
Qui passe dans l'obscurité.

Alphonse Esquiros

R

révolution (nom féminin)

Signifie à l'origine «retour», et même «retournement».

On parle ainsi de la «révolution» d'un astre, d'une plante pour évoquer le fait qu'ils reviennent à leur point de départ.

Puis le mot «révolution» a signifié «changement brutal» souvent violent, et radical, d'un régime politique, d'une forme de vie sociale.

On vous expliquera la différence entre le mot «révolution» et le mot «révolte».

rhinocéros (nom masculin)

Signifie «corne sur le nez».

Les rhinocéros sont des animaux mammifères, lourds et puissants qui vivent en Afrique et possèdent une ou deux cornes sur le nez.

Le rhinocéros est morne
et il louche vers sa corne.
Que veut le rhinocéros ?
il veut une boule en os.
Ce n'est pas qu'il soit coquet :
c'est pour jouer au bilboquet.
Car l'ennui le rend féroce,
le pauvre rhinocéros.

Claude Roy

rhododendron (nom masculin)

D'un mot grec qui signifie «arbre rose».

Arbrisseau de montagne aux fleurs violettes, ou rouges ou blanches...

R

rhubarbe (nom féminin)

La rhubarbe est une plante avec laquelle on faisait (en fait-on encore beaucoup ?) de merveilleuses confitures et des tartes divines.

Barbe barbe de rhubarbe
Casse casse de cassis
Fraise fraise du fraisier
Groseille du groseiller
Abri abri abricot
Quelle plus belle aventure
Que celle des confitures
Turelututure !

G. Jean

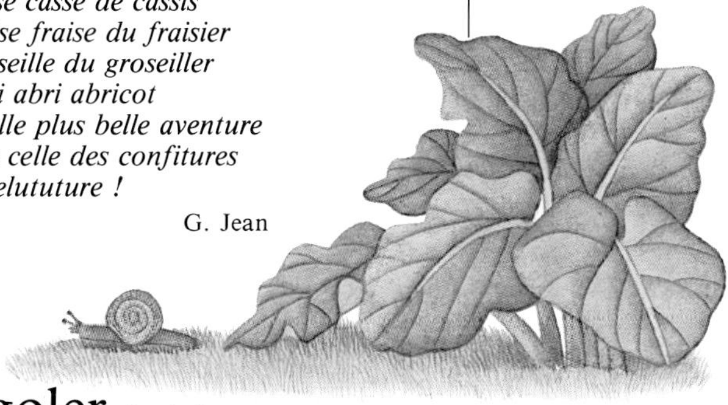

rigoler (verbe)

Mot formé de «rire» et du vieux verbe «galer» : s'amuser.

«Rigoler», c'est «se bidonner, se marrer, se gondoler, se poiler», etc. C'est-à-dire «rire bruyamment». Ces verbes sont d'un emploi familier.

Nous avons bien rigolé
La fanfare a défilé
Avec les pom pom
Avec les pom pom
Avec les pompiers

Chanson de Charlys
et H. Himmel

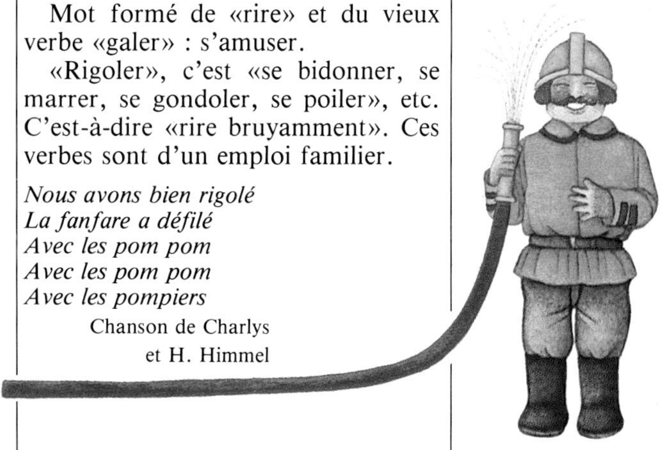

riquiqui (adjectif)

Ce qui est «tout petit, rétréci, minable, médiocre.»

R

robe (nom féminin)

Ce mot est bien connu, mais son histoire est amusante :

Le mot «robe» provient d'un vieux mot germanique qui signifiait «butin». Peut-être la robe est-elle un vêtement pris comme butin ?

Le mot ne s'applique pas seulement au vêtement féminin que nous appelons robe, mais également «à l'ensemble des poils ou des plumes de certains animaux considérés du point de vue de la couleur», par exemple un cheval à la robe «isabelle» (jaune clair).

robot (nom masculin)

«Ouvrier artificiel».

Ce mot a été inventé par l'écrivain tchèque Karel Tchapeck qui, dans une pièce de théâtre, avait imaginé un savant, construisant une machine capable d'exécuter tous les travaux accomplis par un homme. Cette machine, Tchapeck l'a appelée «robot», car en tchèque ce mot signifie «travail, corvée».

Les robots, ce sont donc des machines qui remplacent les hommes.

La «robotique» est la technique qui concerne les robots, leur fabrication, leur usage.

On dit d'une personne qu'elle est «un vrai robot» quand elle agit machinalement, sans réfléchir.

rock and roll (nom masculin)

Expression anglaise formée à partir des verbes «to rock» : «balancer» et «to roll» : «rouler, tourner».

Le «rock and roll» ou «rock'n'roll» ou encore «rock» est une musique qui «roule et balance», très rythmée, mais vous en savez ou en saurez plus long que moi sur le sujet. Quant à vos «rockers» favoris...

roitelet (nom masculin)

Un roitelet est le «roi d'un petit royaume» ou un «roi tout petit», ou un «tout petit oiseau» mesurant rarement plus de 10 cm, au plumage taché de brun sombre sur les ailes et dont la tête est plus ou moins marquée de bandes noires avec une ligne médiane jaune vif ou rouge.

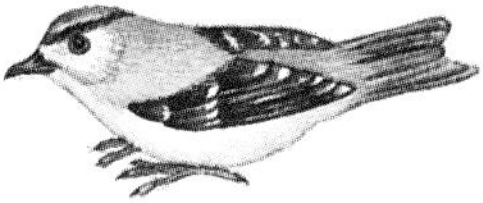

ronchonner (verbe)

Provient d'un vieux verbe français signifiant «ronfler».

Ronchonner, c'est manifester que l'on n'est pas très content en «parlant dans sa barbe».

On dit encore : «bougonner, marmonner, maugréer, râler». Celui qui ronchonne est un «ronchon» ou un «ronchonneau».

rondouillard (adjectif)

Rondelet, rond et gras, dodu, potelé, etc.

R

Roi tu l'es
Roitelet
Des forêts
Roitelet
Si petit
Si joli
Tu es bien
Le plus beau
Roitelo
Des oiseaux
Du matin.

G. Jean

R

ronronner (verbe)

Faire des «ronrons» de plaisir comme les chats quand on les caresse.

rose (nom féminin)

Bien sûr vous savez ce que sont les roses, les plus belles des fleurs et les plus odorantes, et le mot «rose» est si joli à entendre !

La rose a tellement inspiré les poètes que je vous laisse le soin de chercher les poèmes qui en parlent. Je me contente d'un vers que j'aime entre tous, je n'ai jamais su pourquoi :

Une rose d'automne est plus qu'une
autre exquise.

Agrippa d'Aubigné

rossignol (nom masculin)

Voilà un mot qui chante comme le petit oiseau qui le porte et que l'on entend dans les jardins et les bois où il répand ses roulades de cristal.

La voix du rossignol
Lisse,
Ronde, longue.

Tôkô

R

rouge-gorge (nom masculin)

Ce petit oiseau à la gorge de feu et de sang est le fidèle compagnon de nos jardins et il a l'air de nous comprendre avec son œil rond comme un petit bouton noir.

Un mot parfait posé là
La maison de carton s'écroule
Il ne reste que lui
Il emplit les paupières du matin
Habité d'une flamme
Oiseau
Poème.

G. Jean

roulis (nom masculin)

De «rouler». Le roulis est le balancement d'un bateau d'un bord à l'autre.

Le «tangage» est le balancement qui se produit d'avant en arrière et réciproquement.

R

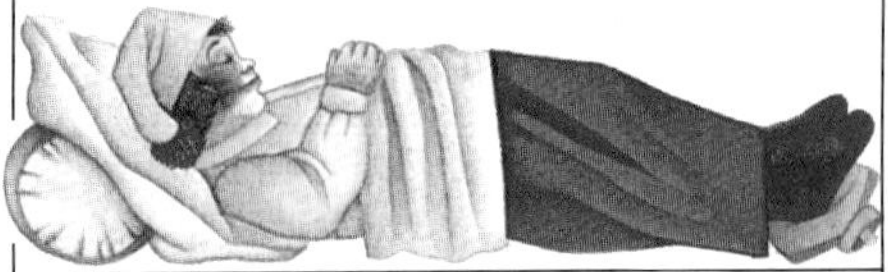

roupiller (verbe)

Ce verbe viendrait de l'expression «rroupp» évoquant le ronflement du dormeur.

«Roupiller», c'est dormir. On dit également en langage familier «piquer un roupillon, pioncer, en écraser», etc.

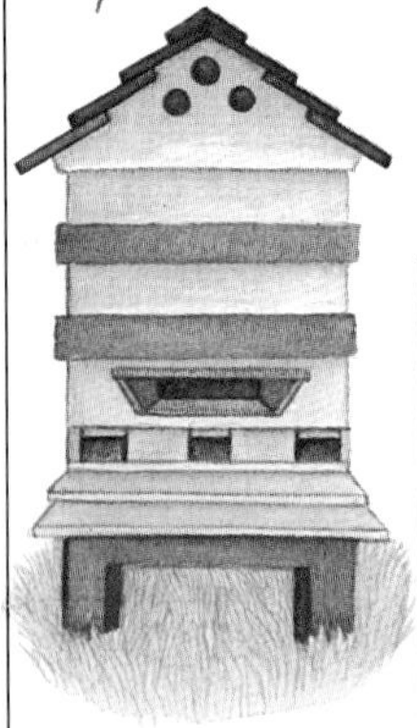

ruche (nom féminin)

Provient d'un mot gaulois signifiant «écorce» parce que c'est avec des écorces que l'on construisait jadis ces petites maisons pour les abeilles.

ruminer (verbe)

Certains animaux, comme les vaches, ruminent. Les vaches remâchent ce qu'elles ont une première fois avalé et qui se trouve dans leur panse («rumen» en latin), première poche de leur estomac qui en comprend plusieurs.

On peut également ruminer ses pensées, quand on les «remâche» !

Et quand on «rumine une vengeance», c'est qu'on y pense sans cesse.

Autour de la ruche
bruissement bleu
les abeilles
travaillent.

G. Jean

Saché-je d'où provient, Sirènes, votre
ennui
Quand vous vous lamentez, au large,
dans la nuit ?
Mer, je suis comme toi, plein de voix
machinées
Et mes vaisseaux chantants se nomment
les années.

Guillaume Apollinaire

S

sabordage (nom masculin)

Un «sabord» est une ouverture rectangulaire pratiquée dans le flanc d'un navire.

«Saborder un navire», c'est le faire couler volontairement. Cette action est un «sabordage».

sabre (nom masculin)

Arme blanche, plate et recourbée le plus souvent. Les cavaliers portaient un sabre. Le sabre a un seul tranchant.

«Sabrer», c'est donner des coups de sabre. C'est également «raturer, rayer, barrer, biffer», etc.

«Sabrer un devoir», c'est ne pas lui mettre une bonne note.

Quand l'homme qui témoigne est armé d'un sabre, c'est le sabre qu'il faut entendre et non l'homme.

Anatole France

sacripant (nom masculin)

Nom d'un «faux brave», dans un poème italien du XVIe siècle.

Un sacripant est un «sale individu, un coquin, un chenapan, un fripon, un gredin, une fripouille», etc.

S

safari (nom masculin)

Ce mot signifie «bon voyage», dans une langue d'Afrique noire. Un safari est une expédition de chasse aux fauves en Afrique.

Un «safari-photo» est une chasse où l'on se contente de photographier ou de filmer les animaux.

sagaie (nom féminin)

Court javelot en usage en Afrique et terminé par une pointe acérée.

salamalec (nom masculin)

Provient de l' arabe «salâm alaïk» : «paix sur toi». Faire des salamalecs, c'est saluer quelqu'un... un peu trop longtemps.

salamandre (nom féminin)

Batracien qui ressemble à un petit lézard. La salamandre vit dans l'eau des mares et des ornières et a souvent le ventre d'une belle couleur orange.

«Les Anciens croyaient que la salamandre était capable de vivre dans le feu sans y être consumée. Elle fut identifiée au feu dont elle était la manifestation vivante.

A l'inverse on lui attribuait aussi le pouvoir d'éteindre le feu par son exceptionnelle froideur... François Ier avait mis dans ses armoiries une salamandre au milieu du feu et adopté cette devise : "j'y vis et je l'éteins." » (Dictionnaire des Symboles)

S

salsepareille (nom féminin)

Littéralement «ronce et treille».

La salsepareille est une plante médicinale et ornementale. Je crois que c'est aussi une merveille tant le mot est musical.

saltimbanque (nom masculin)

Un saltimbanque est celui qui «saute sur l'estrade, sur le banc». Un acrobate, un comédien ambulant qui fait des tours dans les foires et sur les places. On dit encore, des baladins, des bateleurs.

Dans la plaine les baladins
S'éloignent au long des jardins
Devant l'huis des auberges grises
Par les villages sans églises

Et les enfants s'en vont devant
Les autres suivent en rêvant
Chaque arbre fruitier se résigne
Quand de très loin ils lui font signe

Ils ont des poids ronds ou carrés
Des tambours des cerceaux dorés
L'ours et le singe animaux sages
Quêtent des sous sur leur passage.

Guillaume Apollinaire

S

sampan (nom masculin)

Mot qui provient d'un terme chinois signifiant «trois planches».

Un «sampan» est un petit bateau qui sert parfois d'habitation et que l'on trouve en Chine, au Japon.

sandwich (nom masculin)

« Du nom de John Montagu, comte de Sandwich (1718-1792), pour qui son cuisinier inventa ce mets qui lui permettait de se nourrir sans quitter sa table de jeu. » (Larousse)

Le mot «casse-croûte» désigne aussi ces tartines entre lesquelles se cachent toutes sortes de bonnes choses.

Et que signifient selon vous les expressions «être pris en sandwich», un «homme - sandwich» ?

sanglier (nom masculin)

Je n'aurais sans doute pas retenu ce mot si l'origine du mot n'était pas aussi singulière. Il vient du latin «singularis porcus» : «porc solitaire». Le sanglier est en effet un cochon solitaire des bois. D'ailleurs les chasseurs appellent les sangliers mâles, des «solitaires». La femelle est nommée : «laie» et les petits : «marcassins».

S

sanglot (nom masculin)

Littéralement «bruit du gosier».

«Sangloter» c'est pleurer, geindre par saccades quand on éprouve une grosse peine.

Les sanglots longs
Des violons
De l'automne,
Blessent mon cœur,
D'une langueur
Monotone.

Paul Verlaine

sarbacane (nom féminin)

Canne trouée dans laquelle on souffle pour envoyer des petites flèches pour chasser, ou des boulettes de papier sur le professeur.

sarcophage (nom masculin)

Provient d'un mot grec signifiant «pierre qui mange la chair».

Le sarcophage était un tombeau en pierre dans lequel on mettait le corps des défunts.

sarigue (nom féminin)

Petit animal d'Amérique qui vit dans les arbres et qui possède une longue queue à laquelle s'accrochent les petits lorsque la maman se déplace.

En voiture, dit la sarigue
En appelant ses marmots
Nous allons dans la nature
Montez vite sur mon dos
A ma queue, comme en métro
Tenez-vous, je vous emmène
Jusqu'à la forêt prochaine
Où nous mangerons des figues
Gentils petits sarigots.

G. Jean

S

sarrasin (nom masculin)

Abréviation de «blé sarrasin», un «blé noir», noir comme la peau des Sarrasins (Arabes établis en Espagne).

On fait des galettes en Bretagne avec le sarrasin que l'on appelle «blé du pauvre».

satellite (nom masculin)

Au sens propre «garde d'un prince». Puis «compagnon», «complice».

A l'origine, un satellite, c'est un homme armé qui protège un grand personnage (on dirait peut-être de nos jours «une barbouze, un gorille»).

Puis le mot a désigné les petites planètes qui, tournant autour des grandes comme la Lune autour de la Terre, leur tiennent compagnie.

Enfin les «satellites artificiels» sont ces objets compliqués qu'on lance avec des fusées autour de la Terre et dont le premier, le «Spoutnik» a été lancé par les Russes en 1957.

saugrenu (adjectif)

Curieuse association d'un mot signifiant «salé» et d'un autre mot signifiant «grain».

Est «saugrenu» ce qui est «bizarre, inattendu, comique...»

saurien (nom masculin)

Les sauriens sont des lézards de toutes les espèces.

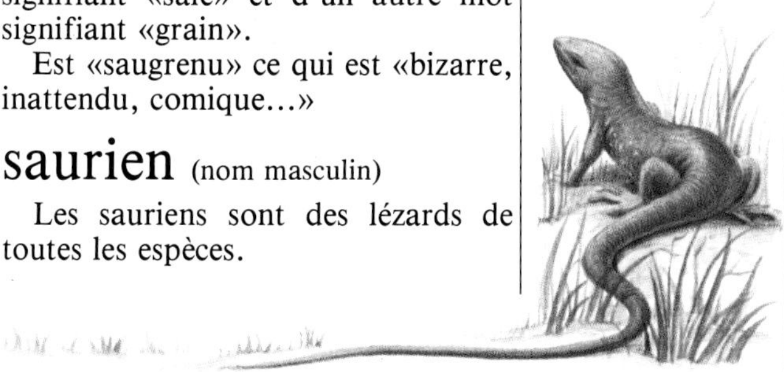

S

sauterelle (nom féminin)

Cet insecte, vous le connaissez, il s'appelle sauterelle parce qu'il «saute» !

La lune devient plus claire
La sauterelle dresse
Ses moustaches

Kikaku

savane (nom féminin)

«Prairie» des régions tropicales où poussent des plantes rares, hautes et jaunâtres à la saison sèche.

Afrique mon Afrique
Afrique des fiers guerriers dans les savanes ancestrales
Afrique que chante ma grand-mère
Au bord de son fleuve lointain.

David Diop

S

saxophone (nom masculin)

Saviez-vous que cet instrument de musique que les amateurs de jazz connaissent bien doit son nom à Monsieur Joseph Adolphe Sax qui l'inventa (1814-1894) ?

scaphandrier (nom masculin)

Est tiré d'un mot grec signifiant «homme barque».

Jadis un «scaphandre» était une espèce de ceinture de sauvetage en liège qui permettait de flotter à ceux qui ne savaient pas nager. Puis on donna le nom de «scaphandre» à l'appareil que revêt le «scaphandrier» qui descend sous l'eau à de grandes profondeurs. Le scaphandrier était relié au monde extérieur par divers câbles et tuyaux.

Depuis on use de scaphandres «autonomes» qui permettent aux scaphandriers modernes, les «hommes-grenouilles» ou «plongeurs sous-marins» d'évoluer sous l'eau sans être reliés avec la surface.

scarabée (nom masculin)

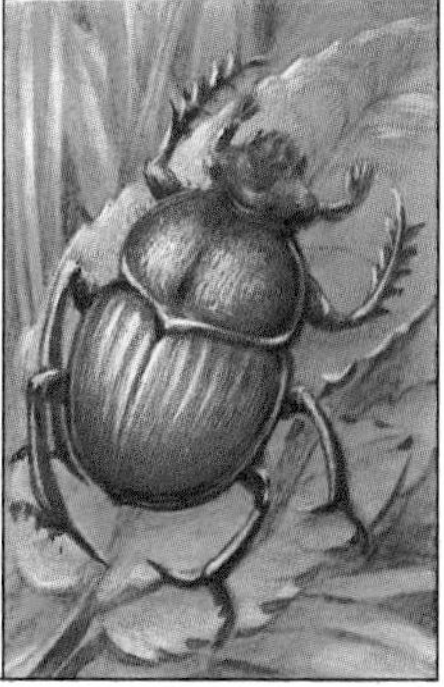

Vous en avez tous vu.

Et comme le mot est beau !

Pourtant Furetière dit de lui : «Petit insecte, espèce d'escarbot, qu'on appelle autrement : fouille-merde» !

Où la grenouille a passé
Sous les renonculacées
Où la grenouille a passé
Dansera le scarabée.

Maurice Fombeure

S

scolopendre (nom féminin)

Ce mot a deux sens :

C'est un «mille-pattes» venimeux. Furetière dit : «Ce sont de petits vers qui ont cent pieds.» Il ajoute : «Aristote dit qu'en coupant une scolopendre en deux, l'une des parties ira en avant, l'autre en arrière... C'est pourquoi Nicander dit qu'elle a deux têtes.»

En fait, la scolopendre a un corps formé de 21 anneaux portant chacun une paire de pattes, soit 42 pattes.

La scolopendre est aussi une fougère que l'on appelle encore «langue de bœuf».

scorpion (nom masculin)

D'un mot grec signifiant «animal venimeux».

Le scorpion est un animal des pays chauds et secs et dont la queue est munie d'un aiguillon qui fait des piqûres venimeuses et douloureuses.

Dans une légende du Mali, le scorpion dit : Je suis l'animal fatal à celui qui le frôle. J'ai deux cornes et une queue que je tortille en l'air. Mes cornes se nomment l'une la violence, l'autre la haine. Le stylet de ma queue s'appelle poinçon de la vengeance. Je ne mets au monde qu'une seule fois : la conception qui est chez les autres signe d'augmentation est chez moi le signal d'un prochain trépas.

Dictionnaire des Symboles

S

secret (nom masculin)

D'un mot latin qui signifie : «séparé, mis à part».

Un secret est quelque chose que l'on garde pour soi, que l'on ne communique pas.

seiche (nom féminin)

Vient d'un mot latin qui signifie : «encre». Car la seiche est un mollusque qui, pour se cacher lorsqu'on l'attaque, jette de l'encre (ou «sépia») dans l'eau.

L'os de seiche que l'on trouve sur la plage est apprécié des petits oiseaux ; ils s'y aiguisent le bec. On mange beaucoup de seiches au Japon.

Appels du vendeur de seiches
Se mêlant à ceux du
Coucou

Baschô

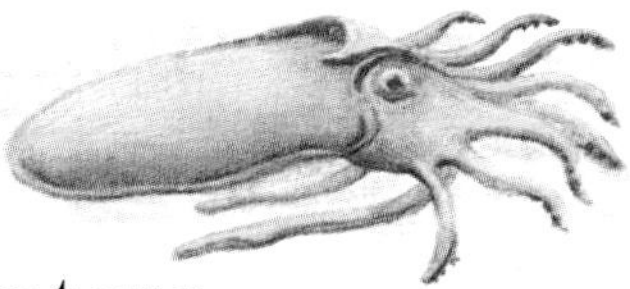

senteur (nom féminin)

J'ai retenu ce mot pour que vous tentiez de trouver les différences qui existent entre les mots : «arôme, effluve, exhalaison, fragrance, fumet, odeur, parfum, relent, remugle, senteur».

S

séquoia (nom masculin)

Auriez-vous deviné que ce conifère géant (qui peut atteindre jusqu'à 140 m de hauteur), et que l'on trouve en Californie, doit son nom au chef indien «See Quayah» ?

serin (nom masculin)

Petit oiseau chanteur souvent jaune (d'un jaune «serin» !) originaire des Canaries.

Comme il apprend facilement à chanter, on dit de quelqu'un qui apprend tout sans comprendre que «c'est un vrai serin».

Apprendre à chanter à un serin c'est «seriner». Ce verbe signifie également «répéter toujours la même chose».

Mon serin
est malin
Il apprend
mes chansons
qu'il serine
à Madame
la serine
Et lui dit :
Ma jolie
Cet air là
est de ton
compagnon
un poète
musicien
le poète
des serins.

G. Jean

sigle (nom masculin)

S.N.C.F., O.N.U., U.S.A., U.R.S.S., P.T.T. etc. Trouvez-en d'autres.

S

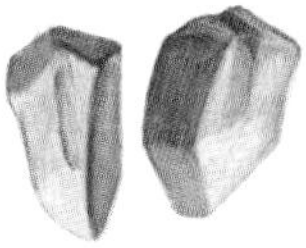

silex (nom masculin)

D'un mot latin signifiant : «caillou».

Le silex est une pierre très dure, dont la cassure est tranchante. C'est pour cette raison que les hommes préhistoriques faisaient des armes et des outils en taillant le silex.

Et le poète Robert Desnos évoque par l'image de cette pierre dure et coupante la marche douloureuse de prisonniers sur un sol de «silex et de craie» :

Craie et silex et herbe et craie et silex
Et silex et poussière et craie et silex
Herbe, herbe et silex et craie, silex et craie...

Robert Desnos

sirène (nom féminin)

Etre de légende : monstre marin avec une tête et une poitrine de femme, le reste du corps étant d'un oiseau ou d'un poisson. Elles séduisaient les navigateurs par la beauté de leur visage et la mélodie de leur chant, puis les entraînaient dans la mer pour les manger.

Ulysse, le héros de *l'Odyssée,* qui était un malin, avait retenu le conseil de la magicienne Circé et au moment de passer à l'endroit où l'on rencontrait les sirènes, il dit à ses matelots :

Donc son premier conseil (de Circé), est de fuir les Sirènes, leurs voix ensorcelantes et leur prairie en fleurs ; seul je puis les entendre, mais il faut que, chargé de robustes liens, je demeure immobile...

Homère

S

sittelle (nom féminin)

Petit oiseau qui grimpe le long des arbres et chante d'une voix aiguë comme son nom.

sobriquet (nom masculin)

Surnom que l'on attribue à une personne pour souligner une de ses particularités physiques ou morales : Philippe le Bel, Charles le Chauve, Pépin le Bref, Jean sans Terre.

soleil (nom masculin)

Bah ! Vous savez tout (ou presque) sur le soleil. Mais son nom est lumineux et je l'aime... comme j'aimais la lune avant qu'on marche dessus.

sonate (nom féminin)

Un morceau de musique qui «sonne» sur des instruments, par opposition à la cantate qui se chante. Une sonate est en général une composition musicale pour un ou deux instruments.

soporifique (nom masculin et adjectif)

Qui provoque le sommeil. Une drogue qui endort. Ou encore un «narcotique, un somnifère».

Mais un discours, une leçon peuvent également être «soporifiques».

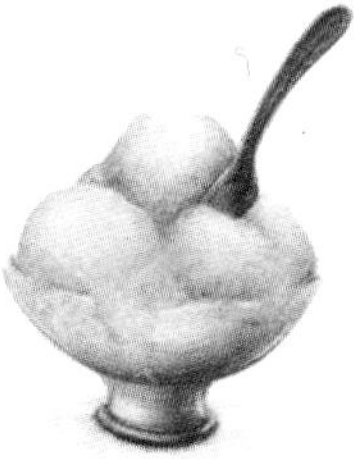

sorbet (nom masculin)

D'un mot turc signifiant «boisson fraîche».

Un sorbet est une glace aux fruits naturels et sans lait. Un sorbet au citron, au cassis, aux fraises.

sorcier (nom masculin)

«Enchanteur qui a communication avec le Diable et qui fait plusieurs choses merveilleuses avec son secours. On tient que les sorciers et les sorcières vont au sabbat et qu'ils y sont transportés sur un balai.» (Furetière).

Ceux qui jettent des sorts, c'est-à-dire qui attirent le malheur sur telle ou telle personne. Jadis on brûlait «vifs» les gens que l'on soupçonnait d'être sorciers.

Les sorcières faisaient de drôles de potages. Ainsi dans *Macbeth*, une pièce du grand poète anglais Shakespeare, une sorcière parle de sa soupe :

Filet de serpent des marais dans le
chaudron cuit et bout,
Œil de salamandre et doigt de
grenouille,
Poil de chauve-souris et langue de chien,
Fourche de vipère, dard de ver aveugle,
Jambe de lézard et aile de chouette,
Bouillon d'Enfer, bous et bous.

S

sornette (nom féminin)

Souvent employé au pluriel. D'un vieux mot français signifiant «plaisanterie».

Une sornette, les sornettes sont des plaisanteries absurdes ou peu intéressantes. On dit encore : «balivernes, billevesées, fariboles, fadaises», etc.

sortilège (nom masculin)

Provient de «sort».

Action ou parole magique, enchantement, charme, etc.

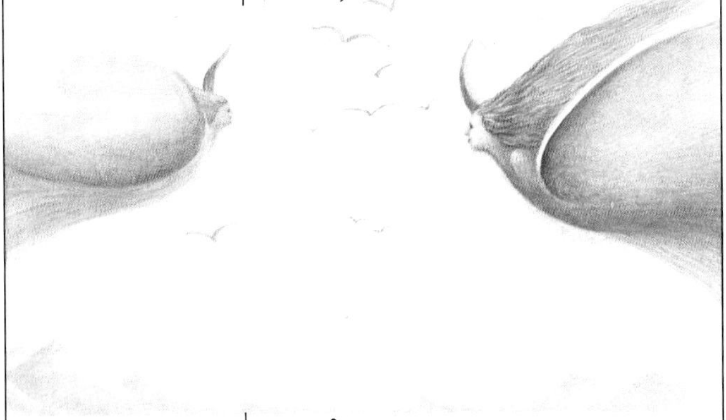

sosie (nom masculin)

Nom propre d'un personnage de comédie.

Dans l'*Amphitryon* de Molière par exemple, ce personnage ressemble tellement à un autre personnage qu'on les prend l'un pour l'autre.

Des pieds jusqu'à la tête il est fait
comme moi
Beau, l'air noble, bien pris, les manières
charmantes ;
Enfin deux gouttes de lait
Ne sont pas plus ressemblantes.

S

soupirail (nom masculin)

De «soupirer», qui vient de «respirer».

Un soupirail est une ouverture qui permet de faire respirer les caves, c'est-à-dire de les aérer et de leur donner de la lumière.

Noirs dans la neige et dans la brume
Au grand soupirail qui s'allume
Leurs culs en rond
A genoux, cinq petits, -misère- !
Regardent le boulanger faire
Le lourd pain blond.

Arthur Rimbaud

sphinx (nom masculin)

Monstre ayant un corps de lion et une tête de femme, des ailes et qui proposait des énigmes (des devinettes).

Et savez-vous quelle question le Sphinx de Thèbes posa à Œdipe un héros grec ? Il lui demanda :

«Quel est l'animal qui marche sur quatre pieds le matin ; sur deux pieds à midi, et sur trois pieds le soir ?»

Devinez la réponse d'Œdipe. Et si vous ne trouvez pas, retournez votre livre :

L'homme : qui marche à quatre pattes quand il est enfant, sur ses deux pieds quand il est adulte, et avec une canne quand il est vieux.

S

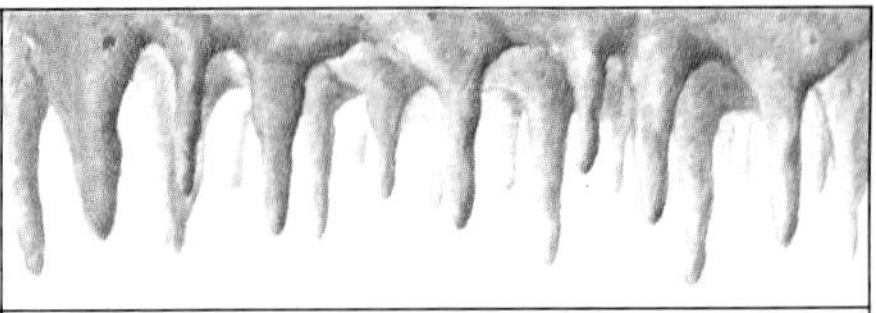

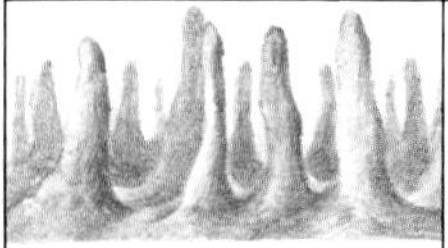

stalactite (nom féminin)

Colonne calcaire qui descend de la voûte d'une grotte.

Les stalagmites sont les colonnes qui montent du sol des grottes ; en général à l'endroit où tombent les gouttes d'eau chargées de calcaire qui tombent des stalactites. Les stalactites font comme un T, les stalagmites font comme un M.

steppe (nom féminin)

Mot d'origine russe qui désigne les grandes plaines des pays de l'Europe et de l'Asie du Nord et qui sont recouvertes d'une rare végétation courte et drue.

Tous les toucans
Font un boucan
Féroce quand
Les perroquets
Et leurs caquets
Disent qu'avec
Un si beau bec
Ils restent secs
Tous les toucans
Devant les gens
Intelligents.
G. Jean

T

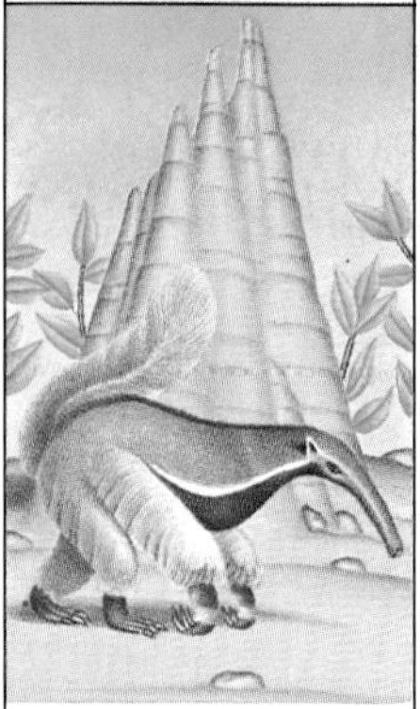

tamanoir (nom masculin)

Autre nom du grand fourmilier d'Amérique du Sud. Il fait jusqu'à 2,50 m de long et se nourrit des fourmis qu'il attrape avec sa langue longue et gluante.

Avez-vous vu le tamanoir ?
Ciel bleu, ciel gris, ciel blanc, ciel noir,
Avez-vous vu le tamanoir ?
Œil bleu, œil gris, œil blanc, œil noir.
Avez-vous vu le tamanoir ?
Vin bleu, vin gris, vin blanc, vin noir.
Je n'ai pas vu le tamanoir !
Il est entré dans son manoir,
Et puis avec son éteignoir
Il a coiffé tous les bougeoirs,
Il fait tout noir.

Robert Desnos

tapir (nom masculin)

Petit mammifère d'Amérique et d'Asie caractérisé par sa trompe.

tarabiscoter (verbe)

Le «tarabiscot» est l'élément décoratif d'une moulure. «Tarabiscoter», c'est «compliquer, surcharger de détails, d'ornements». Un dessin «tarabiscoté».

Ne pas confondre « tarabiscoter » et «tarabuster» : «harceler quelqu'un de reproches».

tarentule (nom féminin)

La tarentule est une grosse araignée du sud de l'Europe dont la morsure venimeuse est très douloureuse. Elle doit son nom à la ville de Tarente au sud de l'Italie, où paraît-il, elle abondait.

T

La tarentule
de tante Ursule
est ridicule
quand elle circule
à dos de mule
et qu'elle accule
le cousin Jules
dans l'édicule
où il recule
tiule ! !

G. Jean

tarlatane (nom féminin)

Tissu léger qui sert à faire des patrons. Mais le mot chante, aussi.

tatou (nom masculin)

Mammifère d'Amérique centrale dont le corps est recouvert d'écailles. Quand on l'attaque il se met en boule et devient invulnérable.

C'est pas l'tout
Dit l'tatou
Moi je bous
Là-dessous
J'mets les bouts
Ou j'me roule
Tout en boule
De tatou
Voilà tout
Iou !

G. Jean

T

télé- (préfixe)

Ce préfixe est un mot grec signifiant «loin». On le rencontre devant un grand nombre de mots aujourd'hui. En voici quelques-uns, vous en connaissez certains et vous apprendrez le sens des autres : «télécommande, télédiffusion, télégramme, télégraphe, téléguider, téléphérique, téléphone, télescope, télévision», etc.

tempête (nom féminin)

Provient curieusement d'un mot latin signifiant «temps bon ou mauvais». Or la tempête, c'est plutôt le mauvais temps, quand le vent souffle très fort, qu'il pleut beaucoup et que la mer est grosse, agitée, furieuse, dangereuse...

«Tempêter», c'est manifester violemment sa colère.

temple (nom masculin)

En latin le mot «templum» désigne l'espace délimité par un prêtre et sur lequel on devait adorer les Dieux.

Un temple est un lieu où l'on prie, où l'on célèbre les cérémonies religieuses. Une église est un temple. L'église des protestants s'appelle le «Temple».

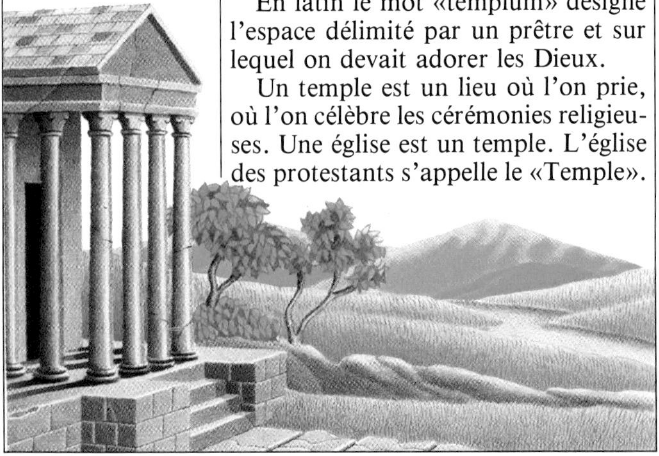

T

tendresse (nom féminin)

Ce beau mot simple, je l'aime. Il provient du mot «tendre» qui signifie à l'origine «jeune, fragile, délicat».

La tendresse, c'est la douceur de l'amour... mais vous le savez bien !

A l'assaut des
jardins
Les saisons sont
partout à la fois
Passion de l'été
pour l'hiver
Et la tendresse
des deux autres.

Paul Eluard

théâtre (nom masculin)

Encore un de mes mots préférés, un très beau mot, riche de sens et de songes.

Et saviez-vous que le mot grec qui est à l'origine de notre mot «théâtre» signifie : «lieu d'où l'on regarde quelque chose, un spectacle». Le théâtre c'est d'abord un lieu.

Le théâtre désigne également des personnes, des comédiens, des machinistes, comme «l'Illustre Théâtre» de Molière.

Le théâtre est un art. Ce sont des pièces : le «théâtre de Shakespeare», etc.

On parle plus généralement de théâtre en désignant un «lieu où il se passe quelque chose» : le «théâtre des opérations», le «théâtre du crime», etc.

Un objet qui soit comme un vrai
objet et qui soit faux, c'est
le véritable vrai, c'est
la vérité du théâtre !

Louis Jouvet

T

tiercelet (nom masculin)

Nom donné aux mâles chez les faucons et les éperviers, car les mâles sont en moyenne d'un tiers (d'où «tiercelet») plus petits que les femelles.

Quand le tigre
et le buffle
se battent,
les roseaux
sont écrasés.
Proverbe de l'Inde

tigre (nom masculin)

Carnassier du genre «félin», à la robe fauve «tigrée» de noir. Savez-vous que le «tigron» ou «tiglon» est l'animal qui résulte du croisement du tigre et de la lionne ?

timbre (nom masculin)

Ce mot a une origine très compliquée : il provient d'un mot grec qui signifiait «petit tambour».

Puis on a parlé de timbre en évoquant une petite cloche sur laquelle on frappe.

Puis du son particulier d'un instrument de musique ou d'une voix.

Puis d'une marque qui permettait de reconnaître le blason d'un chevalier.

Puis de la marque qui permet de reconnaître certains papiers.

Enfin du timbre-poste...

tisonner (verbe)

Les tisons, ce sont les morceaux de bois qui brûlent encore un peu. «Tisonner», c'est remuer les tisons avec le «tisonnier» pour que le feu reprenne.

On «tisonne» également sa pipe.

tonitruer (verbe)

Parler d'une voix de «tonnerre».

La machine (une grosse moto)
tonitruait, elle arrachait son poids
vers l'avant, elle mettait
en route le mur du vent. Le Clézio

torrent (nom masculin)

Provient d'un terme latin signifiant «impétueux». Un torrent est un cours d'eau de montagne au régime irrégulier qui peut être «à sec» et devenir, tout à coup, violent, bruyant, tumultueux et tout emporter sur son passage.

Comme on passe en été le torrent sans
danger,
Qui voulait en hiver être roi de la plaine,
Et ravir par les champs d'une fuite
hautaine
L'espoir du laboureur et l'espoir du
berger. Joachim du Bellay

T

Je suis tortue et
je suis belle
Il ne me manque
que des ailes
Pour imiter
les hirondelles.
Robert Desnos

tortillard (nom masculin)

C'était un petit train (aujourd'hui les tortillards se font rares) d'intérêt local, comme on disait, et qui se «tortillait», c'est-à-dire qui avançait lentement en suivant tous les tours et détours d'une voie qui reliait les petites gares et souvent longeait les chemins.

tortue (nom féminin)

Littéralement «bête du Tartare», c'est-à-dire de l'enfer (le Tartare est le nom des Enfers chez les anciens Grecs).

La tortue vaut infiniment mieux que cela. C'est, chez nous, ce gentil petit animal qui porte sa maison sur son dos.

Il existe des tortues terrestres, de toutes petites tortues d'eau et de très grosses tortues marines ; la carapace de ces dernières est en écaille.

totem (nom masculin)

Mot de la langue des Indiens algonquins et qui désigne l'animal, la plante ou l'objet qui sert de protection à une tribu. L'aigle est le totem de telle tribu, le serpent de telle autre, etc.

toupet (nom masculin)

Vient d'un mot de vieux français qui signifiait : «touffe de cheveux en haut de la tête».

Le «toupet» désigne le caractère de quelqu'un qui est effronté «parce qu'il n'a pas de front pour rougir», un «toupet» de cheveux recouvrant le front.

tournesol (nom masculin)

Nom d'une plante appelée encore «hélianthe» ou «grand soleil» et dont les fleurs (qui ressemblent à de petits soleils) se tournent toujours du côté du soleil. D'où son nom.

tournicoter (verbe)

Tourner dans tous les sens, sans bien savoir où l'on va. On dit aussi : «tourniller».

tournoi (nom masculin)

Joute guerrière au cours de laquelle les chevaliers jouaient à se combattre. Il s'agissait de désarçonner son adversaire à l'aide d'une longue lance de bois qui frappait sur le bouclier alors que les chevaux étaient lancés à grande vitesse.

«Tournoi», en termes sportifs, est un affrontement qui met en jeu plusieurs équipes : le «tournoi des cinq nations».

tourterelle (nom féminin)

Petit pigeon gris clair, ou blanc, qui passe l'hiver dans les pays chauds ; elle émet des «roucoulements» agréables, plaintifs et tendres.

On en a fait le symbole de la fidélité, car une tourterelle ne se console jamais, dit-on, du départ ou de la mort de son compagnon.

T

Dans mon transistor
Il y a des trésors
Chansons et musique
Et la politique
Et la République
Et la météo
La «pub» et Zorro
Et tout l'univers
Qui va de travers
Dans mon transistor

G. Jean

transistor (nom masculin)

Mot anglais qui signifie «résistance de transfert» ! Un transistor est une pièce servant à amplifier les signaux électriques... oui, bon, on vous expliquera cela plus tard.

Un transistor est un appareil de radio portatif et qui marche grâce à des «transistors».

trappeur (nom masculin)

Chasseur qui prend les animaux à fourrure dans une trappe, piège dans lequel l'animal est capturé sans que sa fourrure soit abîmée.

T

trimer (verbe)

Provient du vieux verbe «tramer» : faire aller la navette dans la «trame» du tissage. Puis «aller et venir sans cesse». Trimer, c'est travailler dur.

troglodyte (nom masculin)

Littéralement «qui vit dans les trous». C'était le nom d'une tribu d'Ethiopie qui vivait dans les cavernes.

Une habitation troglodyte est une habitation creusée dans le roc.

Egalement, tout petit oiseau qui niche dans les trous des murs.

trombone (nom masculin)

«Trompe, trompette». Ces trois noms désignent des instruments de musique ; ils sont de la même famille :

La trompe, c'était une corne (de bœuf, etc.) dans laquelle on soufflait.

La trompette est un instrument plus perfectionné en métal avec ou sans piston.

Le trombone est une trompette en deux parties, l'une coulissant dans l'autre. (Il existe des trombones à pistons.)

troubadour (nom masculin)

Voilà un très beau mot. Il signifie en ancien provençal «celui qui trouve, celui qui invente, celui qui chante», un «poète, un musicien»... Ce furent les poètes des pays d'oc, les pays du sud de la Loire. Les «trouveurs» du pays d'oïl (au nord de la Loire) étaient les «trouvères».

T

Une truite saute
Les nuages s'agitent
dans le lit du torrent
Onitsura

truite (nom féminin)

J'aime beaucoup ce mot frais, liquide, vif comme le poisson des rivières claires, qu'il désigne.

turbiner (verbe)

C'est «travailler comme une turbine», cette sorte de roue qui tourne sous la pression de l'eau pour fabriquer de l'électricité.

Le «turbin» dans la langue familière, c'est le travail quotidien et machinal.

turbulent (adjectif)

Savez-vous qu'un enfant «turbulent» est un enfant qui s'agite comme un «tourbillon» ?

D'ailleurs, le mot «turbulence» s'applique aussi bien à cet enfant qu'aux tourbillons qui se forment autour d'une auto, d'un avion, d'un bateau qui se déplacent à grande vitesse.

turlupin (nom masculin)

C'était le nom d'un «farceur», c'est-à-dire d'un comédien qui faisait rire les badauds sur les places et les rues de Paris au début du XVIIe siècle.

Aujourd'hui, un turlupin est «un drôle de garnement».

Et «turlupiner» quelqu'un, c'est le taquiner méchamment et sans arrêt.

Je sais une église
Au fond d'un hameau
Dont le fin clocher
Se mire dans l'eau
Dans l'eau pure d'une rivière.
Des volubilis en cachent l'entrée.
Chanson de Ch. Fallat et P. Delmet

U

Hulule
hulotte
tu gardes la nuit
Je me rendors.
G. Jean

ululer (verbe)

Ou «hululer». D'après un verbe latin par lequel on désignait le «hurlement» des chiens et des loups.

Aujourd'hui on dit que les rapaces, comme les chouettes hulottes, hululent. Leur cri est un hululement.

univers (nom masculin)

Ce très beau mot désigne «l'ensemble de ce qui existe».

Pour l'enfant amoureux de cartes et d'estampes
L'univers est égal à son vaste appétit.
Charles Baudelaire

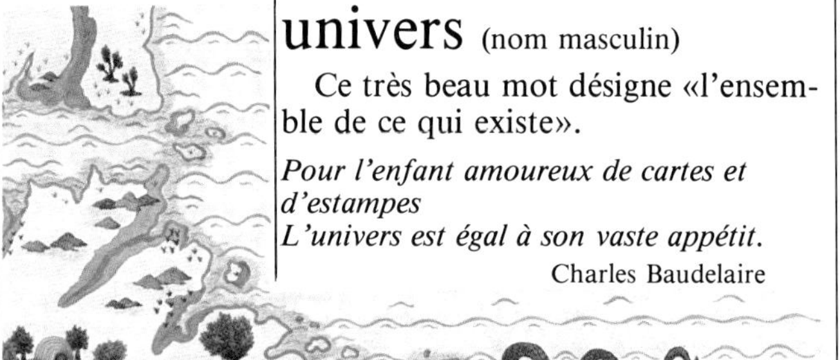

V

vacances (nom féminin)

Les «vacances», ce sont les jours «vacants», les jours «vides», où l'on ne fait rien, où l'on ne va pas à l'école, où parfois on s'ennuie comme ce poète :

Odeur des pluies de mon enfance
Dernier soleil de la saison !
A sept ans comme il faisait bon,
Après d'ennuyeuses vacances
Se retrouver à la maison.

René Guy Cadou

vair (nom masculin)

Ce mot signifie fourrure d'un gris blanc et tachetée.

La pantoufle de «Cendrillon» était de «vair» et non de «verre» !

vampire (nom masculin)

Un monsieur ou une dame qui sort de son tombeau pour sucer le sang des vivants. A cet usage, les vampires ont de grandes dents pointues. Mais ils n'existent pas.

On appelle également «vampires» de grandes chauves-souris d'Amérique.

vanneau (nom masculin)

Saviez-vous que cet oiseau échassier porte ce nom parce qu'il fait, quand il vole, un bruit analogue à celui du vent ?

V

vasistas (nom masculin)

Mot qui provient de la phrase allemande «Was ist das ?» : «Qu'est-ce que c'est que ça ?»

Un «vasistas» est une petite fenêtre, un guichet, que l'on ouvre pour regarder «ce qui se passe» dans le lieu où il s'ouvre.

vasouiller (verbe)

Vient de «vase». «Vasouiller», c'est marcher dans la vase, ne pas savoir ce que l'on dit, se prendre les pieds dans ses paroles, etc.

vaurien (nom masculin)

Littéralement «celui qui ne vaut rien».

vautour (nom masculin)

Oiseau rapace au cou dénudé qui se nourrit de charogne, c'est-à-dire de chair morte.

Un homme avide, avare, impitoyable avec les autres, est un «vautour».

Vautour au cou pelé, serf immonde, à cette heure,
Jouet de tous, sur toi, va, morne oiseau, je pleure.
L'enfance qui t'insulte et te raille en passant,
Ignore que la nue a vu ton vol puissant.

Roger de Beauvoir

V

venin (nom masculin)

A l'origine, «drogue, breuvage magique», puis «poison».

Particulièrement le liquide que certains animaux, par leurs piqûres ou morsures (les abeilles, les vipères, etc.) inoculent aux êtres vivants.

Le «venin», c'est également «la méchanceté des paroles».

La méchanceté boit elle-même la plus grande partie de son venin.

Sénèque

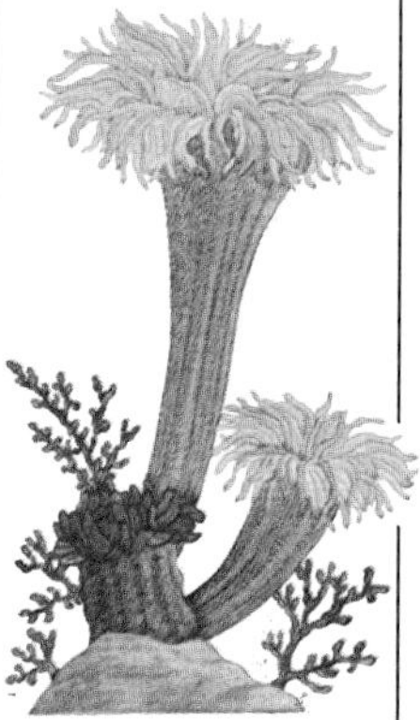

vermiculé (adjectif)

Recouvert de dessins, de lignes qui évoquent de petits vers.

Et tout ce que le sel ou l'iode colore,
Mousse, algue chevelue, anémones, oursins,
Couvre de pourpre sombre, en somptueux dessins,
Le fond vermiculé du pâle madrépore...

José Maria de Hérédia

vermillon (nom masculin)

Provient de «vermeil» : «rouge éclatant».

«Vermeil» provient de «vermisseau» (car à l'aide d'un vermisseau appelé «cochenille» on préparait la couleur rouge «carmin»).

Le vermillon est une couleur rouge vif tirant sur l'orange.

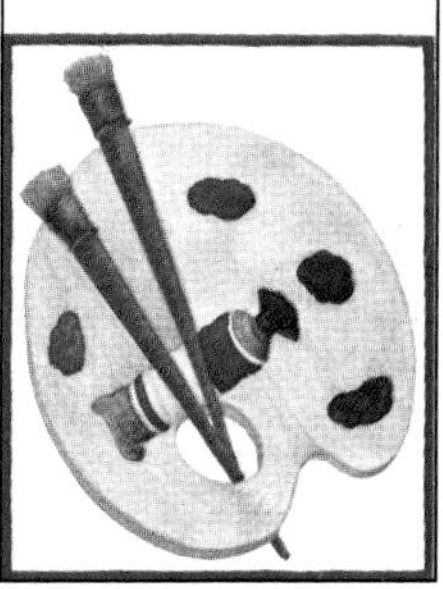

V

véronique (nom féminin)

Plante de sainte Véronique. On en fait des infusions. Ses petites fleurs sont d'un bleu très vif.

Une «véronique» est également une «passe du torero» qui caresse, si l'on peut dire, la tête du taureau avec sa «muleta» ; on nomme cette passe «véronique» par comparaison avec le geste de sainte Véronique qui a essuyé le visage de Jésus-Christ durant sa montée au calvaire.

verveine (nom féminin)

Une plante à toutes petites fleurs bleues et roses. On fabrique avec ses feuilles odorantes des infusions et de la liqueur. Des souvenirs d'enfance pour moi, car le jardin de ma grand-mère embaumait la verveine...

La verveine et la véronique
Fleurissent dans mon jardin
Couleurs tendres tendres parfums
Me font rêver dès le matin
A de très anciennes musiques.

G. Jean

vétille (nom féminin)

D'un vieux mot signifiant «ruban, bandelette».

Aujourd'hui une «vétille» est «une petite chose de rien». «Vétiller», c'est «s'amuser à des riens».

V

vidéo (nom féminin)

Mot latin signifiant : «je vois».

Tout ce qui est «vidéo» concerne l'enregistrement des images, leur transmission au loin. Le «magnétoscope» est un appareil «vidéo».

vigie (nom féminin)

D'un mot portugais signifiant «veiller».

Une vigie est quelqu'un qui veille et surveille. Elle est vigilante.

V

viole (nom féminin)

Ancêtre du violon. L'ancêtre du violoncelle est plutôt la «viole de gambe».

Mais j'ai surtout retenu ces mots parce qu'ils sont déjà «musique» et les poètes le savent bien :

Le violon frémit comme un cœur qu'on afflige.

Charles Baudelaire

viorne (nom féminin)

La viorne est une sorte de «liane» à fleurs blanches. Elle s'attache aux arbres et aux haies.

virtuose (nom masculin)

D'un mot latin signifiant «vertu, grandes qualités».

Un virtuose est un musicien de très grande qualité et qui se joue de toutes les difficultés.

Le virtuose ne sert pas la musique, il s'en sert.

Jean Cocteau

vison (nom masculin)

En patois de la Saintonge (province de l'Ouest de la France) «vison» signifiait «belette», d'après un verbe latin dont le sens était «puer, sentir très mauvais», car la belette est un animal qui sent très mauvais. De nombreux habitants de la Saintonge émigrèrent au Canada au XVIIe siècle, et appelèrent «vison», un petit animal à fourrure ressemblant à leur belette.

La fourrure du vison est une des plus belles et des plus coûteuses qui soit.

V

vizir (nom masculin)

Le premier ministre d'un prince musulman.

Un vizir
aux sultans
fait toujours
quelqu'ombrage.
Racine

voltiger (verbe)

D'un verbe latin qui signifie «faire des voltes», c'est-à-dire «tourner sur soi».

«Voltiger», c'est «tourner en rond», et même parfois «flotter au gré du vent» : «ses cheveux voltigeaient au gré des zéphirs sur son sein, sur ses épaules» (Furetière).

La «voltige», ce sont des exercices de cirque avec des chevaux, des trapèzes.

La «voltige aérienne», ce sont les acrobaties que l'on fait avec un ou plusieurs avions, comme celles de la «patrouille de France».

V

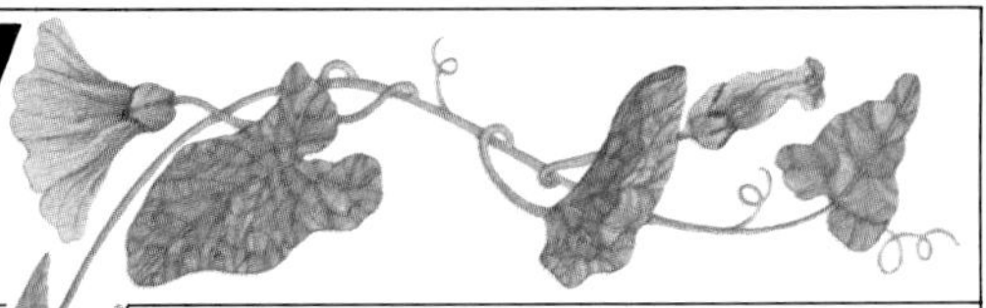

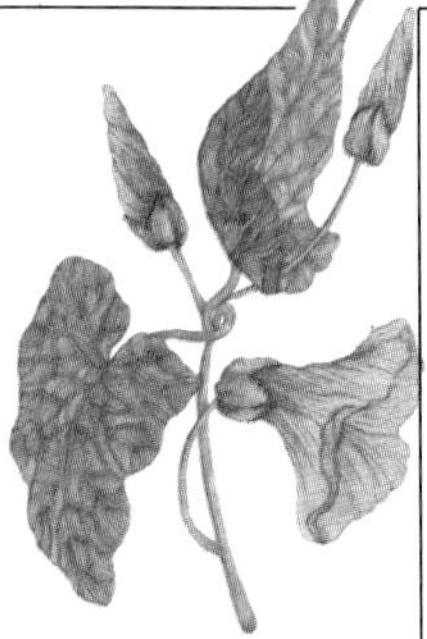

volubilis (nom masculin)

Autre nom du «liseron». Mais il me semble que ce nom-là «s'enroule mieux».

voyou (nom masculin)

«Celui qui court les voies», c'est-à-dire les rues. Un «vilain garçon».

Gavroche riait quand on l'appelait «galopin», se fâchait quand on l'appelait «voyou».

Victor Hugo

vrac (en) (locution)

D'un vieux mot hollandais qui signifiait «mal salé» en parlant des harengs, ou «mal empaqueté».

Les objets «en vrac» sont les objets que l'on conserve ou transporte en désordre, sans les emballer, sans les ranger.

Zigzag
fait l'éclair
Zigzag
la vipère
Zigzag
le facteur
Zigzag
le vapeur
Zigzag
fait l'ivrogne
qui partout se cogne
et va de travers G. Jean

W

wapiti (nom masculin)

Nom algonquin donné à l'«élan» d'Amérique du Nord.

Viens ici
mon petit
wapiti
Et quand tu seras grand
Tu prendras ton élan.

G. Jean

week-end (nom masculin)

En anglais, «fin de semaine». Du samedi matin au lundi matin.

western (nom masculin)

En anglais, «de l'Ouest». Film qui relate les aventures des personnages de l'Ouest américain principalement pendant la seconde moitié du XIXe siècle.

Dans les westerns on voit
Des Indiens des cow-boys
Des saloons des trappeurs
Des belles au grand cœur
Des soldats des héros
Et des desperados.
On entend des banjos
Des colts et des locos.
La diligence part…
Le shériff inquiet
Allume son cigare…
Et moi, qui suis assis
Dans le noir, au ciné
Ou bien à la télé
Je suis heureux, je sais
Que les vilains bandits
Seront toujours punis…

G. Jean

wigwam (nom masculin)

Mot tiré de la langue des Indiens algonquins et signifiant : «habitation, tente, abri».

On se trouve dans une salle basse,
Enfumée
Odeur de poisson pourri...
Panoplies barbares
Couronnes de plumes d'aigles colliers de
Dents de pumas
Ou de griffes d'ours
Arcs flèches tomahaks
Mocassins
Bracelets de graines et de verroterie...

Blaise Cendrars

X

xylophone (nom masculin)

Provient de deux mots grecs signifiant : «bruit du bois».

Le xylophone est un instrument de musique fait de plaquettes de bois sur lesquelles on frappe avec de petits marteaux.

Y

yéti (nom masculin)

«L'abominable homme des neiges».

Y est-t'y
Y est-y pas
Le Yéti d'l'Himalaya ?
Si l'Yéti y est
Tu n'y seras pas
Si l'Yéti y est pas
C'est toi qui y s'ra
Na

G. Jean

Z

yoyo (nom masculin)

Jeu formé de deux petits disques qui s'enroulent autour d'une ficelle que l'on tient à la main.

zèbre (nom masculin)

D'un mot portugais signifiant «âne sauvage».

Espèce de cheval vivant en Afrique, à la robe jaune rayée (zébrée) de noir.

De quelqu'un qui court très vite, on dit : «il file comme un zèbre».

Et parfois d'un individu bizarre on dit : «c'est un drôle de zèbre».

Du haut d'un nuage
Les mains rouges d'argile
Dieu contemplait les animaux
Je suis mécontent du zèbre
Dit-il à Saint-Rémy
Qui tenait la liste
Il ressemble trop au cheval !
Rayez-le !

Pierre Ferran

zéphir (nom masculin)

Nom d'un petit vent doux et agréable.

Tout vous est aquilon,
tout me semble zéphir.

Jean de La Fontaine

Z

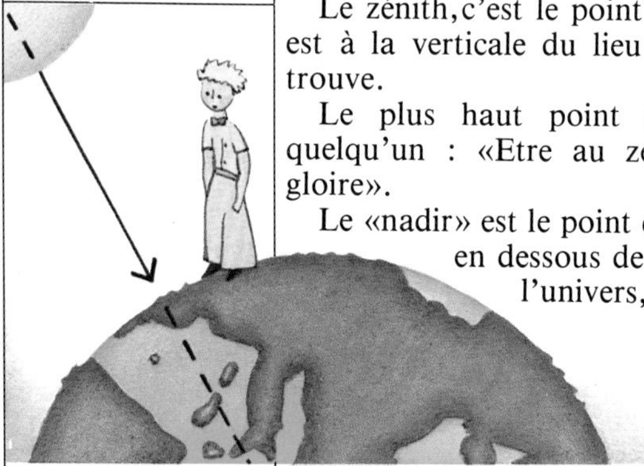

zénith (nom masculin)

Semble provenir d'une expression arabe signifiant «le chemin au-dessus de la tête».

Le zénith, c'est le point du ciel qui est à la verticale du lieu où l'on se trouve.

Le plus haut point atteint par quelqu'un : «Etre au zénith de la gloire».

Le «nadir» est le point qui est situé en dessous de nous, dans l'univers, à l'opposé du zénith.

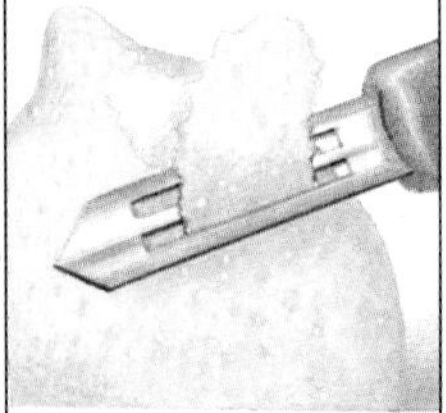

zeste (nom masculin)

Mot dont la sonorité évoque quelque chose de léger.

On appelle «zeste», la membrane très fine qui divise l'intérieur d'une noix. Mais aussi le tout petit morceau d'écorce de citron ou d'orange que l'on met dans un gâteau ou un apéritif.

Zizèle
zézaye
sarlotte
zozotte
Le sien
de zulien
s'azite
et brizitte
sarmante
ensante
le zardin...
G. Jean

zézayer (verbe)

Ou «zozoter». C'est prononcer «z» au lieu de «s» et «j» et «s» à la place de «ch». Ou encore «avoir un seveux sur la langue».

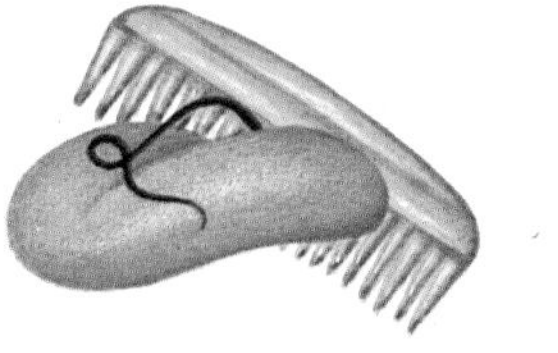

zigouiller (verbe)

Mot de patois vendéen qui signifie «couper avec un mauvais couteau».

Tuer d'un coup de «surin», ou avec toute autre chose...

zigzaguer (verbe)

Se mouvoir en faisant des zigzags, c'est-à-dire des lignes brisées.

Le facteur allait en zigzag d'un trottoir à l'autre. Il semblait ivre de beau temps.

Jean Giraudoux

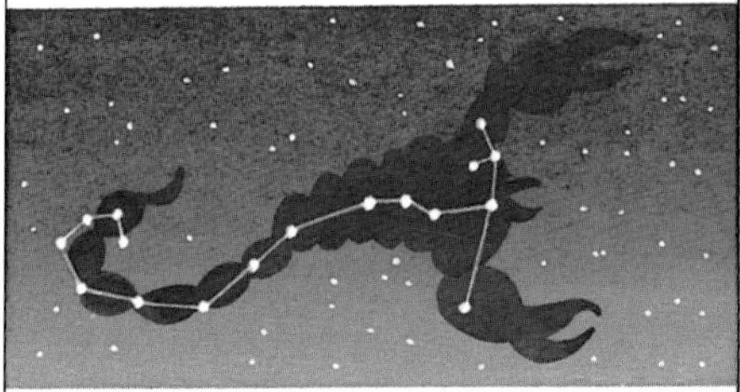

zodiaque (nom masculin)

Cercle imaginaire parcouru par le soleil. Ce cercle serait divisé en douze parties correspondant aux douze signes du «zodiaque» :

Du 21 mars au 20 avril .... Bélier
Du 21 avril au 20 mai .... Taureau
Du 21 mai au 21 juin .... Gémeaux
Du 22 juin au 22 juillet .... Cancer
Du 23 juillet au 22 août .... Lion
Du 23 août au 22 septembre .... Vierge
Du 23 septembre au 22 octobre ... Balance
Du 23 octobre au 21 novembre . Scorpion
Du 22 novembre au 20 décembre . Sagittaire
Du 21 décembre au 19 janvier . Capricorne
Du 20 janvier au 18 février .... Verseau
Du 19 février au 20 mars .... Poissons

DES MOTS POUR JOUER

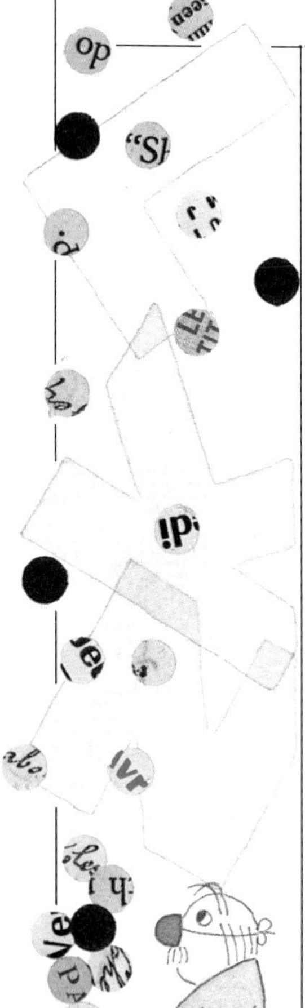

Maintenant, comme je vous l'annonçais, jouons un peu !

Je ne prétends pas vous proposer ici *tous* les jeux que l'on peut pratiquer avec des mots. Ils sont trop nombreux ; et pour certains d'entre eux vous les connaissez ou les connaîtrez un jour. Je pense aux *mots croisés,* au *scrabble,* au *mot le plus long,* etc. Les mots rassemblés dans ce *dictionnaire pour rêver* peuvent aussi vous aider à jouer à ces jeux bien connus.

Ici je me suis contenté de vous suggérer quelques pistes ; et vous découvrirez bien vite que les jeux avec les mots les plus amusants, comme tous les autres jeux d'ailleurs, ce sont ceux que l'on invente !

Avant de commencer, permettez-moi deux remarques :

En général il est bon, quand on joue avec les mots, d'oublier un peu et même parfois totalement leur sens.

Mais il est préférable de bien les connaître avant de les oublier. On n'oublie pas ce que l'on ne sait pas ! Et il peut être drôle de retrouver le sens... Vous verrez...

FABRIQUE A POÈMES

Le grand poète Stéphane Mallarmé répondit un jour à son ami le peintre Manet, qui lui demandait comment

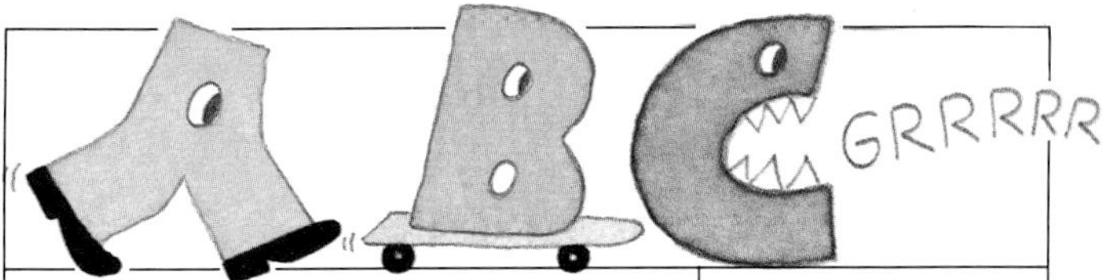

on faisait un poème, « qu'un poème, cela se faisait *avec des mots* » !

Voici donc le premier jeu. Bien sûr, il ne s'agit pas de concevoir un grand et long poème ; il y faudrait beaucoup de temps et, j'insiste, beaucoup de travail. Un poème, on le commence souvent par un mot, un mot qui chante, un mot qui *fait rêver,* justement ! Et à partir de ce mot, une sorte de petite musique, celle des comptines peut se former.

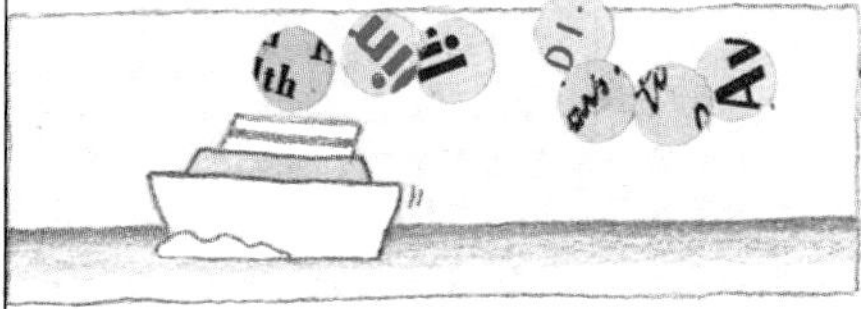

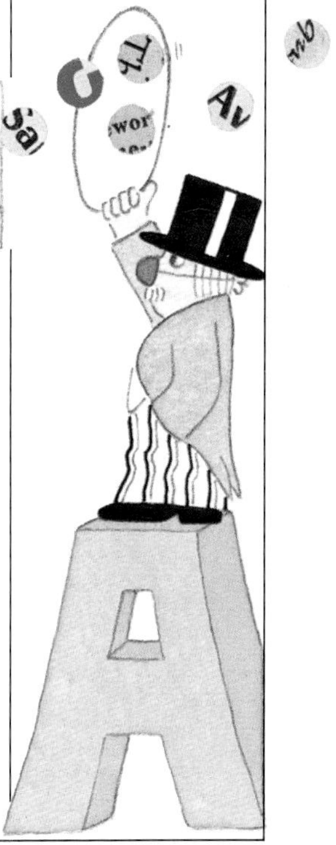

Par exemple, j'ouvre ce livre : je tombe sur le mot *coléoptère.* C'est un mot de 4 syllabes. Avec un article, cela fait 5 syllabes. Je cherche des mots ou de petites phrases de 5 syllabes, avec des rimes en *ère.* Si cela ne veut pas dire grand-chose, qu'importe, pourvu que cela chante, et sur un certain rythme !

Un coléopt*ère*
Vit une vip*ère*
Qui mangeait du f*er*
Dans le port d'Anv*ers*
Il sauta par t*erre*
En disant : « Ma ch*ère*
C'est toi qui vas f*aire*
Le coléopt*ère* !

En fait, une comptine, c'est pour savoir « qui s'y colle » quand on joue. Cela aide à danser, à chanter. Car on peut aussi trouver une petite musique.

Alors vous y êtes, vous faites tirer un mot à chacun de vous, et c'est à celui qui aura trouvé le plus beau petit texte. Surtout prenez votre temps. Ecoutez bien les mots résonner en vous. Commencez à marcher, à sauter, à danser. la suite viendra...

MOTS-VALISES

Dans une valise on peut mettre une autre valise...

Dans un mot, on peut mettre un autre mot !

Par exemple, je choisis dans ce livre le mot *cagibi.* Je rêvasse autour de ce mot et je m'amuse à y faire entrer le mot *gibier* : j'obtiens un *cagibier.* Alors je cherche ce que cela pourrait bien être, un *cagibier.* Et je trouve : un *cagibier,* c'est une cage où l'on garde les lapins de garenne, les lièvres, les faisans...

Ou bien je marie le mot *libellule* avec le mot *hulotte* et cela me donne une *libellulotte.* Mais une *libellulotte,* « ça n'existe pas », diront les gens sérieux. Et pourquoi pas ? C'est une petite chouette aux ailes de libellule ou une libellule qui a des yeux de chouette ! A vous, maintenant...

ACROSTICHES

Un autre jeu bien connu. Vous prenez un mot quelconque, pas trop court cependant. Le mot *arbalète,* par exemple. Et vous l'écrivez verticalement :

A
R
B
A
L
E
T
E

Chacune de ces lettres doit se trouver au début des vers de votre petit poème. Cela pourrait donner :

A *l'horizon sur la plaine,*
R*egarde ! Les cavaliers !*
B*ardés de fer et casqués*
A*rrivent à perdre haleine !*
L*es fantassins les attendent,*
E*t leurs arbalètes tendent,*
T*andis que leur capitaine*
E*crit à sa bien-aimée !*

Pour m'amuser un peu, je crois bien que j'ai dû essayer d'imiter (bien mal !) Victor Hugo !

FANTAISYMOLOGIE
(FANTAISIE+ÉTYMOLOGIE)

Souvent, dans ce livre, je vous ai donné brièvement l'étymologie de certains mots, c'est-à-dire leur histoire, leur origine. Cette histoire a été établie par des savants ! Mais on peut aussi s'amuser à inventer des étymologies tout à fait fantaisistes mais qui font bien *rêver les mots*.

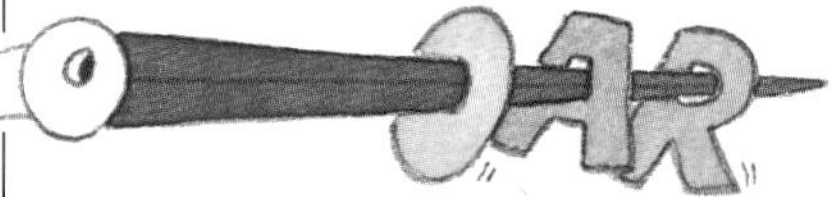

Par exemple, une *merveille :* « c'est la mer qui veille, ou la mer vermeille, ou ma mère qui veille et me raconte des histoires où il est question de merveilles... »

La *joubarbe :* « c'est la fleur de barbe qui pousse sur les joues de certains messieurs. »

Un *malabar* : « c'est un babar mâle qui se fait mal avec une barre... », etc.

UN MOT POUR UN AUTRE

Vous prenez un texte connu, un petit poème ou une fable. Vous remplacez les mots principaux du texte par d'autres mots pris dans ce livre ou

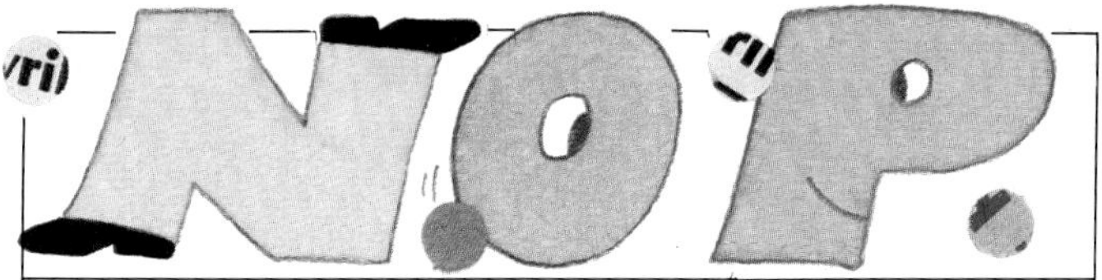

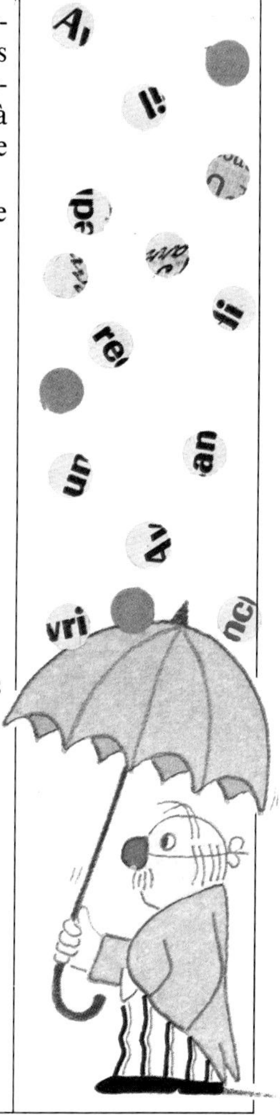

dans un autre dictionnaire. Vous gardez quelques mots du texte, les rimes essentielles et vous respectez la ponctuation. Vous dites ce nouveau texte à vos amis et vous leur faites deviner le texte d'origine.

Vous reconnaîtrez vite ce qui se cache sous cette fable :

L'abricot et le guignol

Maître *abricot* sur un *astre* perché,
Tenait sous sa *cape* une *image*.
Maître *guignol* par l'*idole* alléché,
Lui tint à peu près ce *potage* :
« Hé *bâbord,* Monsieur l'*abricot,*
Que vous êtes *jockey* que vous me semblez *baume* !
Sans *couiner,* si votre *étrier*
Est *fada* comme l'*épicier,*
Vous êtes le *pipit* et l'*onguent* des *prunelles* ».
A ces *couacs* l'*abricot* ne se sent plus *poubelle* ;
Et pour *rabouiller* l'*asphodèle,*
Il *agrume* son *cep,* laisse sa *caravelle.*
Guignol se *carapate* et dit : « Mon bon *radar,*
Apprenez que tout *lézard*
Est *tiercelet* du *torrent* des *moumoutes* :
Ce *magnolia* vaut bien une *image* sans doute.»
L'*abricot, clochard* et *en vrac,*
Brailla dans un *cargo* qu'on l'avait fait *cornac*.

RÉBUS

Vous prenez un mot un peu long ou un proverbe connu. Vous cherchez à le « traduire » par des dessins qui correspondent à peu près à chaque syllabe. Et il faut reconstituer le mot à partir des dessins. Par exemple :

lit, baie, R, thé : liberté

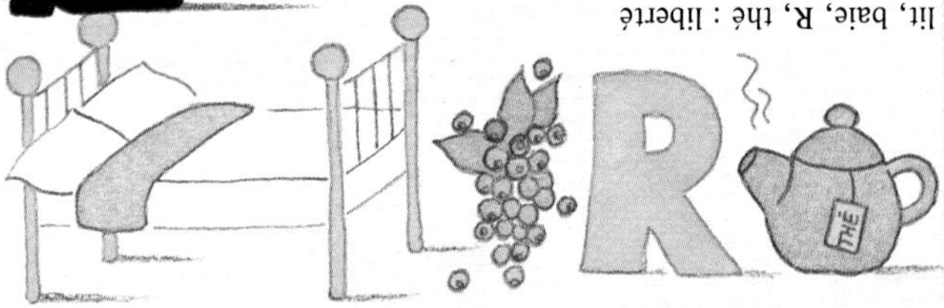

lit, corne, nœud : licorne

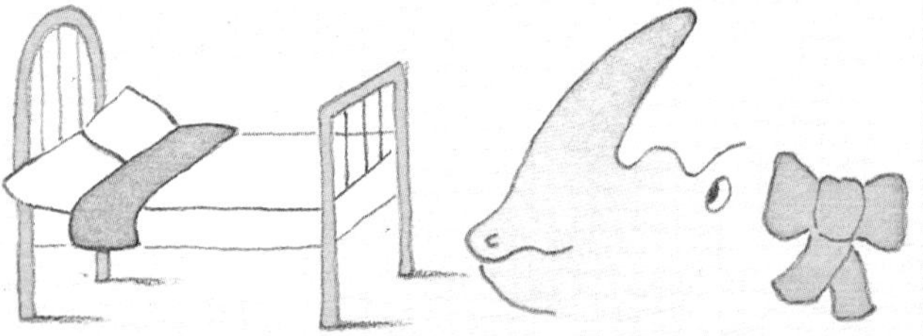

fil, O, dinde, rond : philodendron

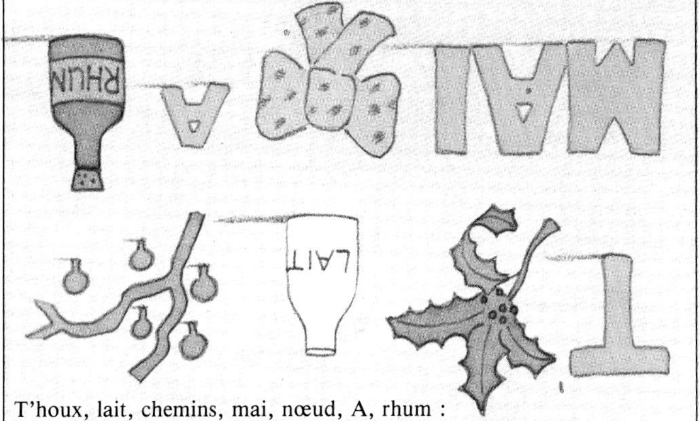

T'houx, lait, chemins, mai, nœud, A, rhum :
tous les chemins mènent à Rome.

île, nid, A, pas, d'œufs, fût, mêêê, sang, feu :
il n'y a pas de fumée sans feu.

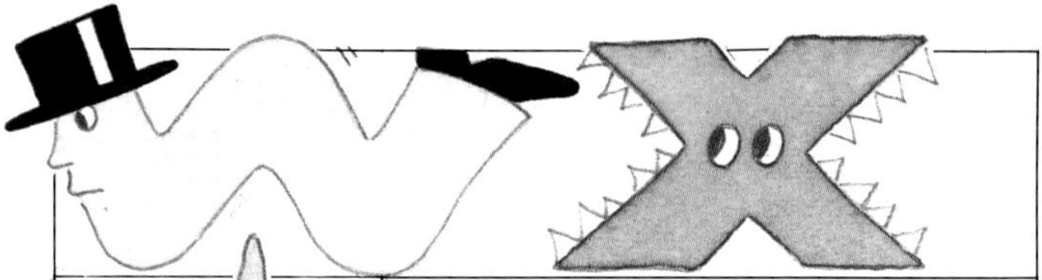

CHARADES

Reportez-vous au mot *charade*. Et fabriquez quelques-unes de ces charades à partir des mots que vous choisirez. Il restera à les faire deviner à vos amis ou à vos parents. Il est préférable de choisir des mots un peu longs, d'au moins trois syllabes et plus. Par exemple :

Mon premier est une qualité pour une personne ou la lentille d'une lunette.

Mon second est un grand pays d'Extrême-Orient.

Mon troisième est commun aux oiseaux et aux avions.

Mon tout fait rire les petits enfants quand ils tirent ses ficelles.

Réponse : (*poli-chine-aile*)

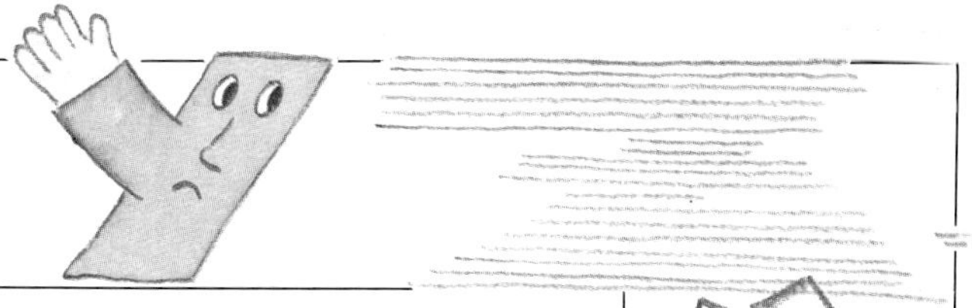

AVEC DES MOTS...

On peut tout faire avec des mots ; mais vous découvrirez bien vite que ce que l'on peut faire avec eux de plus extraordinaire, de plus fou, de plus sage, de plus grave, de plus léger, de plus drôle, de plus triste, c'est encore un poème, c'est toujours un poème :

Des mots pour rêver,
C'est mieux que des choses,
Car avec les mots
On peut fabriquer
Des métamorphoses.
Des mots pour parler,
C'est bien nécessaire ;
Mais les mots aussi,
Servent à se taire,
Quand on les traduit
Dans l'imaginaire !
Quand on les écoute
Tout au fond de soi
Et que montent toutes
Les chansons les voix
Celles d'aujourd'hui
Celles d'autrefois
Et pour les enfants
D'ici et d'ailleurs,
Les mots en jouant
Enchantent les heures...

Georges Jean

L'AUTEUR

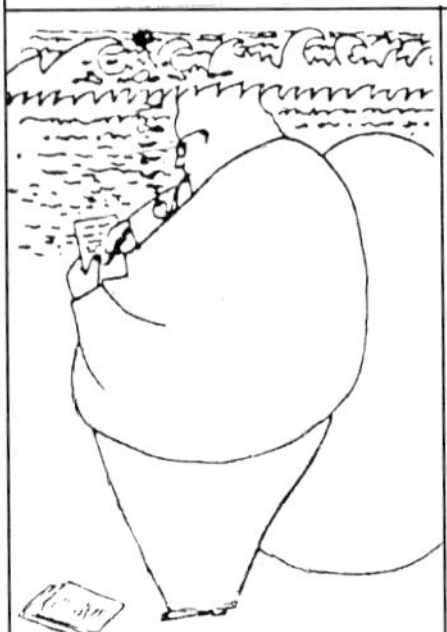

Georges Jean, dessiné par son fils Michel.

Georges Jean est né en 1920 à Besançon. Ancien élève de l'Ecole Normale de Saint-Cloud, il est actuellement Maître-assistant à l'Université du Maine (Le Mans), où il enseigne la linguistique. Il est aussi animateur national de « Peuple et Culture ».

Il a publié de nombreux recueils de poèmes, des anthologies, des essais, et il prépare d'autres livres à la campagne, où il aime vivre.

Georges Jean est poète et, dit-il, linguiste à ses heures. Il aime les mots. Dans tous les titres de ses recueils de poèmes figure le mot « mot ». Il aime donc ces recueils de mots que sont les dictionnaires. Comme il existe déjà beaucoup de dictionnaires pour les grands et les petits, il a conçu ce livre comme le dictionnaire de *ses* mots. Il est parti à leur recherche, les décortiquant, les débusquant chez d'autres poètes, fabriquant pour eux des comptines.

Ce travail, qui fut un plaisir, il l'a partagé avec quelques-uns de ses petits-enfants, les élèves d'amis enseignants et même ses étudiants avec qui il étudie les mots et le langage ; et il souhaiterait que ce livre se complète des mots de chacun, qu'enfants et grandes personnes se fassent le livre de leurs mots, des mots qu'ils aiment « parce qu'ils disent beaucoup plus que ce qu'ils disent... »

LES ILLUSTRATEURS

« Des mots pour rêver » :

Jean-Louis Besson est né à Paris en 1932. Illustrateur depuis 1969, il réalise des affiches pour la publicité, des bandes dessinées pour les enfants et les plus grands, un dessin animé pour la télévision. Il ne pratique aucun sport car, dit-il, on prend du ventre quand on arrête d'en faire, mais fait pousser chez lui toutes sortes dc plantes vertes dont des tomates.

A **Jean Claverie** enseigne l'illustration aux Beaux-Arts de Lyon. Lorsqu'il rentre dans son village, il dessine encore : «Je cours, dit-il, après des images qui m'auraient plu quand j'étais petit. Malheureusement, comme au réveil d'un rêve très riche, je ne sais plus très bien comment tout se passait alors. Aussi je donnerais pas mal de choses pour me rencontrer moi-même enfant. » *(Pages 7 à 23)*

Pierre-Marie Valat a étudié le dessin aux Arts-Décoratifs à Paris. Il aime inventer des images-choc, des images à double sens que l'on rencontre souvent sur ses couvertures de romans-policiers ; mais il réalise aussi des images plus tendres, plus poétiques, comme les histoires pour enfants qu'il a plaisir à illustrer. *(Pages 24 à 34)*

B

Laurie Jordan est née en 1948 en Californie, dans un État plein de fermes et de vergers. A vingt ans, elle a obtenu une bourse pour entrer dans une des meilleures écoles d'art des États-Unis. Depuis 1979, elle vit à Paris, dans une toute petite chambre sous les toits, d'où elle peut voir le clocher de Saint-Germain-des-Prés. *(Pages 35 à 43)*

Christine Adam est née en 1952 à Cherbourg avec un carnet de croquis sous le bras, les pouces verts, le nez pointu et les pieds dans la mer. Elle passe le plus clair de son temps à transformer des textes en images, et tente parfois d'enseigner aux plus attentifs le moyen d'en faire autant. *(Pages 44 à 54)*

C

Elisabeth Alglave est née à Valenciennes. Elle y apprend le dessin, aux Beaux-Arts, et poursuit ses études à Paris, aux Arts-Décoratifs. Mais le Nord ne lui offrant pas assez de couleurs et de lumière, elle a choisi d'aller s'installer en Tunisie où elle continue à illustrer des histoires pour les enfants.

D

Dominique Thibault a fait des études aux Beaux-Arts de Nancy et de Reims, et a obtenu des diplômes de gravure et de lithographie. La découverte de miniatures persanes, mogholes, et des manuscrits enluminés du Moyen Age, lui a donné une grande envie de couleurs et lui a fait abandonner provisoirement le travail en noir et blanc.

E **Tony Ross** est le fils d'un prestidigitateur, petit-fils d'un musicien, arrière-arrière - petit-fils d'un des illustrateurs de Charles Dickens, et le descendant du clan des Ross, de l'ancienne contrée Viking des «Highlands» écossaises. Il souhaitait devenir pilote d'avion, et est devenu illustrateur après son échec à l'examen d'entrée de l'École de l'Air : dessiner était la seule chose qu'il savait faire.

F **Brigitte Susini** est née à Paris, sous le signe de l'écureuil. Elle ne dessine pas depuis sa plus tendre enfance, mais seulement depuis qu'un ami lui a offert une petite palette d'aquarelles, lorsqu'elle avait 18 ans. Ces couleurs lui ont paru si merveilleuses que tout de suite elle a pensé en faire des images pour les petits et, pourquoi pas, pour les grands aussi.

G **Agnès Matthieu** est née en 1956 dans une petite ville des Vosges. Elle a appris à dessiner aux Arts-Décoratifs de Strasbourg. «J'aime les couleurs, dit-elle, comme les enfants aiment les confitures et les bonbons.»

H **Michel Notton** rêve de l'époque des canotiers et des voitures à cheval, des grands peintres de la lumière, de Renoir, Bonnard... Cette nostalgie fait naître sous son pinceau des taches d'ombre et de soleil qui sentent bon la campagne. A son amour de la vie rustique s'ajoute aussi celui de la musique et de la poésie.

I **Sophie Kniffke** vit à Strasbourg. Le souvenir des arbres, des fleurs, des jardins avec leurs maisons et leurs animaux y est de plus en plus lointain. Ce qui en reste, ce dont elle se souvient, elle le fixe dans ses dessins qui illustrent souvent des histoires pour les enfants et des poèmes.

J

Akos Szabo est né en 1936 à Budapest. Sa jeunesse en Hongrie est partagée entre des études de piano et de peinture, et il obtient à l'Académie des Beaux-Arts de Budapest le diplôme d'artiste-peintre. Il arrive à Paris en 1965 et s'y installe. Il participe à des expositions dans de nombreux pays. Les amateurs de beaux livres peuvent maintenant découvrir ses talents de peintre, dessinateur et graveur.

K

Claude et Denise Millet ont fait cnsemble leurs études à l'Ecole Nationale Supérieure des Arts-Décoratifs, sont mariés et ont trois enfants. Toujours ensemble, ils illustrent dans leur atelier des livres pour enfants, et travaillent également pour des journaux, des revues, et aussi pour la publicité.

L

Etienne Souppart a ses racines dans le Pas-de-Calais. Il est né à Lens en 1953. Cette région où le soleil est rare a éveillé en lui un vif désir de chaleur, de couleurs lumineuses qu'il tente toujours de capturer dans ses dessins.

M

Donald Grant est né en 1954 à New York, Brooklyn, et a fait ses études au Pratt Institute. Mais, à la réflexion, sa meilleure école a sans doute été le voyage. En effet, il a passé six ans à parcourir le monde, peut-être pour l'observer et réfléchir, avant de choisir le dessin pour s'exprimer.

N

László Varvasovszky est né à Vienne. C'est dans cette ville qu'il fait ses études de décorateur de théâtre à l'École Supérieure des Arts Appliqués. Puis il occupe les fonctions d'assistant à l'École Supérieure de Musique et d'Art Dramatique de Gratz, en Autriche. Il se met petit à petit à illustrer des livres français pour la jeunesse.

O **Wilhelm Schlote** est né en Allemagne en 1946. Il fit des études de Lettres et de Philosophie et obtint également le diplôme de l'Ecole des Beaux-Arts. Il devint professeur de dessin et de peinture au lycée de Kassel, puis à Francfort. Il vit actuellement à Paris, mais continue de publier des livres dans son pays.

P **Nicole Claveloux** a étudié le dessin aux Beaux-Arts de Saint-Etienne où elle est née. Ses sujets favoris : les cafetières avec des pieds, les bébés, les macaronis malades et les bigorneaux, comme celui-ci qu'elle a représenté à son effigie.

Q **Bertrand Chauveau** est parisien depuis 1948, date de sa naissance. «Mes illustrations, dit-il, je les ai d'abord couchées sur des feuilles blanches, abandonnées à la pointe aiguë d'un crayon. Est venue ensuite la caresse d'un pinceau. Alors, ivre de couleurs, ma peinture est allée se vendre pour moi au livre et à la publicité. Depuis, nous vivons ensemble et il fait bon chez nous.»

R **Sylvie Chrétien** a débuté comme maquettiste dans la publicité avant de devenir illustratrice. Elle aime avant tout les illustrations destinées aux enfants, nées de la poésie de la nature: «Ce sont pour moi des images aux couleurs d'aquarelle griffées par le trait de la plume, rappelant ainsi la gravure que je pratique également.» *(Pages 255 à 265)*

Frankie Merlier, avant de commencer à dessiner, s'est posé beaucoup de questions sur son avenir. Serait-elle exploratrice, magicienne, dompteuse de lions ? Elle y a répondu par le dessin, une manière, sans doute, de faire tous ces métiers à la fois. *(Pages 266 à 276)*

S

Sylvaine Pérols est née à Angers, près d'une campagne qu'elle aime. Elle a d'abord dessiné pour elle, puis petit à petit elle eut envie de faire partager ses dessins qu'elle voit comme des morceaux de rêve, comme des fenêtres s'ouvrant sur un grand univers.

T

Jean-Pierre Moreau est né en Vendée. Il a passé une grande partie de son enfance à se promener dans les chemins creux qui descendent vers la Sèvre, puis est allé étudier le dessin aux Beaux-Arts d'Angers. Aujourd'hui installé à Paris, il fait de l'illustration son métier, pour la publicité et pour l'édition.

UV

Dominique Thibault, après avoir mis en images les mots de la lettre D, n'a pas résisté au plaisir d'illustrer, entre autres, le mot «vacances» !

WXYZ

Béat Brüsch est Suisse. Il vit à Lausanne au bord d'un lac tout bleu. «Je n'aime pas inventer des histoires, dit-il, alors je raconte avec des dessins celles que j'entends autour de moi ; je me dis que ceux qui les liront sauront peut-être un jour inventer des histoires.»

«Des mots pour jouer» :

Wilhelm Schlote jongle ici encore avec la poésie, l'humour et... les mots.

TABLE DES POÈMES

. «Ils ont du venin...» (*La Bible*, Psaume 58, Trad. Bible de Jérusalem).
32. Marcel Pagnol, «Il faut se méfier...» (*Critique des critiques*, Nagel).
33. Samuel Beckett, «N'importe quel...» (*L'innommable*, Ed. de Minuit).
34. «Quand la pente...» (*Larousse du XXe s.*, édition de 1928).
. «C'est l'aviron...» (Chanson populaire).
36. «Il est parti...» (Extrait de *Les riches heures de la chanson française*, Seghers).
37. Raymond Queneau, «On dirait...» («Dans l'espace», *L'instant fatal*, Gallimard, 1948).
38. Mireille et Jean Nohain, «Une demoiselle sur une balançoire».
39. Jacques Prévert, «A la pêche...» («La pêche à la baleine», *Paroles*, Gallimard, 1949).
41. David Diop, «Cet arbre-là...» («Le baobab», *Coups de pilon*, *Anthologie africaine et malgache*, Seghers).
43. Aristide Bruant, «A (elle) voyait...» («Rue Saint-Vincent», Chanson).
. Blaise Cendrars, «On tangue...» («Clair de lune», *Feuille de route*, Denoël).
47. Raymond Queneau, «Y'a aussi...» (*Zazie dans le métro*, Gallimard, 1959).
48. Boris Vian, «Mon oncl'...» («La java des bombes atomiques», *Textes et chansons*, Julliard).
49. Raymond Queneau, «En attendant...» (*Zazie dans le métro*, Gallimard 1959).
. Jean Giono, «Et enfin...» («La capitale des bouleaux», *Faust au village*, Gallimard, 1977).
51. Paul Morand, «Les boxeurs...» («Match de boxe», *Poèmes*, Gallimard, 1973).
52. «Nous étions vingt...» («Complainte de Mandrin», cité par Claude Roy in *La Poésie populaire*, Seghers).
54. Gaston Bachelard, «Dès que l'allumette...» (*La psychanalyse du feu*, Gallimard, 1938).
55. «Hardi les gars...» (Refrain de «Nous irons à Valparaiso», Chanson à hisser).
58. Paul Verlaine, «Avant que tu...» (*La bonne chanson*, 1870).
. Aquah Caluah, «La calebasse...» (*Poèmes africains*, Seghers).
60. Pierre de Ronsard, «L'ardeur...» («Ode à la fontaine Bellerie», *Les Amours*, 1552).

61. Omar Khayam, «La vie passe...», Perse XIIe s. (*Rubayat*, Seghers).

62. José Maria de Hérédia, «Où penchés...» («Les conquérants», *Les trophées*, 1893).

. Guillaume Apollinaire, «Dans vos viviers...» («La carpe», *Le bestiaire ou cortège d'Orphée*, Gallimard, 1920).

63. Keita Fodeba, «C'était...» (*Poèmes africains*, Seghers).

65. Roland Barthes, «Le catch...» («Le monde où l'on catche», *Mythologies*, Seuil).

66. Raymond Queneau, «Le vigneron...» (*Battre la campagne*, Gallimard, 1968).

67. Jean de La Fontaine, «Dans le cristal...» («Le cerf se mirant dans l'eau», *Fables*, L.VI, fable 9, 1668).

68. «Chimouha...» (*Comptines de langue française*, Seghers).

70. Jean de La Fontaine, «Un pauvre...» («La mort et le bûcheron», *Fables, L.I, fable 16, 1668).*

. Guillaume Apollinaire, «Le travail...» («La chenille», *Le bestiaire ou cortège d'Orphée*, Gallimard, 1920).

72. Paul Valéry, «L'insecte net...» («Le cimetière marin», *Poésies*, Gallimard, 1958).

74. Maurice Fombeure, «Les guitares...» («Chanson du loup et de la bergère, *A dos d'oiseau*, Gallimard, 1942).

76. «Noé attendit...» (*La Bible*, Genèse, VII, 2).

77. Morris et Goscinny, «Arewell...» (*Dalton City*, Dargaud).

. Furetière, «C'est une erreur populaire...» (*Essai d'un dictionnaire universel*, 1690).

78. Leconte de Lisle, «Il s'enlève...» («Le sommeil du condor», *Poèmes barbares*, 1862).

79. René de Obaldia, «J'ai trempé...» (*Innocentines*, Grasset).

81. J. Boyer, «Avoir un bon copain...» (Extrait du film *Le chemin du Paradis*, ©1930 Ufaton Verlag, avec l'aimable autorisation des Editions Salabert).

. Omar Khayam, «Un coquelicot...», Perse, XIIe s. (*Rubayat*, Seghers).

82. José Maria de Hérédia, «Le soleil...» («Le récif de corail», *Les trophées*, 1893).

83. Jean de La Fontaine, «Perrette...» («Perrette et le pot au lait», *Fables*, L.VI, fable 10, 1668).

85. Maïakovski, «La joie...» (*Vers et proses*, Editeurs Français Réunis, 1957).

. Ch. Humel, M. Vandair, («Dans les plaines...» , Chanson).

. Morris et Goscinny, «Dean Fenton...» (*Dalton City*, Dargaud).

87. Paul Valéry, «Est-ce vivre...» («Féerie», *Poésies*, Gallimard, 1929).
88. Blaise Cendrars, «On aperçoit...» («Mississippi», *Au cœur du monde*, Denoël).
. Raymond Queneau, «Un homard...» (*Saint-Glinglin*, Gallimard, 1948).
89. Guillaume Apollinaire, «Dauphins...» («Le dauphin», *Le bestiaire ou cortege d'Orphée*, Gallimard, 1920).
94. Montesquieu, «Les desseins...» (*Réflexions sur la monarchie universelle en Europe*).
. Victor Hugo, «Ça, qu'on selle...» («Le pas d'armes du roi Jean», *Odes et ballades*, 1828).
. Charles Perrault, «A l'ouïr sangloter...» (*Peau d'âne*, 1694).
97. «Au commencement...» (*Ancien Testament*, Genèse I, 1 et suiv., Trad. Crampon).
98. Victor Hugo, «Ces douves-là...» («Aymerillot», *La légende des siècles*, 1859).
101. Furetière, «La principale occupation...» (*Essai d'un dictionnaire universel*, 1690).
102. Eustache Deschamps, XVe s. («De bon duvet...»).
104. Léopold Sédar Senghor, «Flûte d'ébène...» (*Nocturne*, Seuil).
105. Mathurin Régnier, XVIIe s., «Les fous...» (*Satires*, 14e satire).
106. Paul Fort, «Ecureuil...» (*Ballades françaises*, Flammarion, 1963).
. Paul Eluard, «Eglantine...» («Blason des fleurs et des fruits», *Le livre ouvert*, Gallimard, 1947).
107. Théophile de Viau, XVIIe s., «Le forgeron» («Ode à l'aurore», 1621).
110. Raymond Queneau, «L'épeire...» (*Battre la campagne*, Gallimard, 1968).
112. Seibi, «L'épouvantail...» (*Haïku*, Fayard, 1978).
113. Jules Supervielle, «Je sors...» («L'escale brésilienne», *Gravitations*, Gallimard, 1925).
114. Victor Hugo, «L'un frémit...» (*Toute la lyre*, 1888).
. Rémi Belleau, XVIe s., «Tu vois...» («Avril»).
118. «Connaissez-vous...» (*Récits et contes populaires de Provence*, I, Gallimard, 1979).
119. Jules Supervielle, «Si je touche...» («Le faon», *Le forçat innocent*, Gallimard, 1930).
120. Daniel Lander, «Sur un poing...» («F comme faucon», *Alphabestiaire*, Ed. Ouvrières, 1980).

123. «Selon les Hindous...» (*Dictionnaire des symboles*, Laffont).
126. Eugène Pottier, «Debout...» («L'internationale», 1871).
128. Jean-Hughes Malineau, «Je fourre...» (*Il était une fois les animaux*, L'Ecole des loisirs).
129. Seishi, Japon XXe s., «Dans la jarre...» (*Fourmis sans ombres*, Trad. M. Coyaud, Ed. Phébus).
. Alfred de Vigny, «Qu'elle était belle...» (*Poèmes antiques et modernes*, 1826).
130. Jean de La Fontaine, «Petit poisson...» (*Fables*, L.V., fable 3, 1668).
131. Victor Hugo, « Je suis le caillou... » (« Stella », *Les châtiments,* 1853).
132. « Il court, il court le furet... » (*Le livre d'or de la chanson enfantine,* Ed. Ouvrières).
133. Raymond Queneau, « Le galet... » (« Destin de galets », *Fendre les flots,* Gallimard, 1969).
135. José Maria de Hérédia, « Et sur elle... » (« Antoine et Cléopâtre », *Les trophées,* 1893).
137. Gilbert Delahaye, « Elle inventa... » (« La girafe », *Du coq à l'âne,* Unimuse, Tournai).
138. Jean de La Fontaine, « Pour moi... » (« Les animaux malades de la peste », *Fables,* L.VII, fable 1, 1668).
140. Victor Hugo, « Voilà... » (« La ronde du sabbat », *Odes et ballades,* 1828).
. L. Boyer, « Ne tuez pas... » (Chanson de 1905).
141. Victor Hugo, « Les lames... » (« Au bord de la mer », *Les chants du crépuscule,* 1835).
142. Paul Morand, « Derniers gratte-ciel... » (« Match de boxe », *Poèmes*, Gallimard, 1973).
143. « La grenouille... » (*Comptines de langue française*, Seghers).
146. Antonio Machado, « Guitare... » (*Champs de Castille*, Gallimard, 1973).
147. Victor Hugo, « Sara... » (« Sara la baigneuse... », *Les Orientales*, 1829).
150. Simone de Beauvoir, « Entre deux individus... » (*La Cérémonie des adieux*, Gallimard, 1981).
. Edourd Mörike, « Toi qui es là... » (« La harpe éolienne », *Anthologie bilingue de la poésie allemande*, T. II, Trad. R. Lasnes, Marabout).
152. Kikaku, « Le saule... » (*Haïku*, Fayard, 1978).
. Guillevic, « Le hibou... » (*Du domaine*, Gallimard, 1977).
153. Blaise Cendrars, « Le hublot... » (*Au cœur du monde*, Denoël).

154. Julien Gracq, « Il entendit... » (Cité dans le *Grand Dictionnaire Larousse de la Langue française*).

. Bernard Lorraine, « De tout... » (*La ménagerie de Noé*, Ed. Ouvrières, « Enfance heureuse », 1981).

159. « Voici les bisons... » (Légende Kiowa).

160. Roger Martin du Gard, « A quelques... » (Cité dans le *Grand Dictionnaire Larousse de la Langue française).*

161. Théophile Gautier, « Je suis l'enfant... », *Poésies*).

163. Bernard Zadi Zazourou, « Ecoute-moi... » (*Anthologie de la poésie africaine et malgache*, Seghers).

164. Aloysius Bertrand, « Mais bientôt... » (« Clair de lune », *Gaspard de la nuit*, 1842).

165. Paul Eluard, « La jarre peut-elle être plus belle que l'eau ? » (Titre d'un recueil, Gallimard, 1951).

. Joachim du Bellay, « Et comme... » (« Antiquités de Rome », *Mémoires*, 1536-1540).

166. Homère, « Il n'est... » (*L'Iliade*, Chant XXII, Trad. Flacelière).

168. Emile Zola, « On se grandissait... » (*Nana*, 1879).

. Paul Claudel, « Et j'assiste... » (« La marée de midi », *Connaissance de l'Est*, Gallimard).

170. F. de Croisset, « Des bambous... » (*La féerie cinghalaise*, Grasset).

172. Gilbert Delahaye, « Dans la poche... » (« Dans la poche du kangourou », *Du coq à l'âne*, Ed. Unimuse, Tournai).

174. Anatole France, « C'est bonnet blanc... » (Cité dans le *Grand Dictionnaire Larousse de la Langue française*).

175. Bernard Lorraine, « Troupeaux... » (« Le lamalpaca », *La ménagerie de Noé*, Ed. Ouvrières, « Enfance heureuse », 1981).

176. Emmanuel Roblès, « Au ras de la lagune... » (*Venise en hiver*, Seuil).

178. Guillevic, « Et tu tâtais la lande... » (*Sphère*, Gallimard, 1963).

. Albert Samain, « Nuit d'été... » (« Nocturne », *Au jardin de l'infante*, 1893).

179. Georges Fourest, « Dehors... » (*Le géranium ovipare*, José Corti).

180. Patrice de La Tour du Pin, « Tous les pays... » (*La quête de joie*, Gallimard, 1933).

181. Luc Bérimont, « Mais où est donc... » (*Comptines pour les enfants d'ici et les canards sauvages*, Ed. Saint-Germain-des-Prés).

182. Bashô, Japon XVIIe s., « A un piment... » (*Haïku*, Fayard, 1978).

. Paul Eluard, « Et par le pouvoir... » (« Liberté », *Poésie et Vérité 1942*, Ed. de Minuit, 1942).

183. Bernard d'Astorg, « C'était une licorne... » (*Le mythe de la dame à la licorne*, Seuil).

184. Maurice Fombeure, « Chevaux de bois... » (« Chevaux de bois, chevaux de mon enfance », *Aux créneaux de la pluie*, Gallimard, 1947).

186. Valery Larbaud, « Prêtez-moi... » (« Ode », *Les poésies de A.O. Barnabooth*, Gallimard, 1948).

. Jacqueline et Claude Held, « J'ai vu... » (*Lune vole*, Ecole des Loisirs).

187. Bernard Lorraine, « Quel manège... » (« Les loups », *La ménagerie de Noé*, Ed. Ouvrières, « Enfance heureuse », 1981).

188. Pierre Reverdy, « Aux premières... » (« La lucarne ovale », *La plupart du temps*, Gallimard, 1945).

. Tou Fou, Chine VIIIe s., « Odeur des bambous... » (« Nuit d'été », *Trésors de la poésie chinoise*, Club Français du Livre).

189. Alfred de Musset, « C'était dans la nuit... » (*Premières poésies*, 1836).

190. Pierre de Ronsard, « Viens à moi... » (*Odes*, Ode 3, L. II, 1550).

. Victor Hugo, « La sorcière... » (« Choses du soir », *L'art d'être grand-père*, 1877).

191. Michel Cosem, « Les mots... » (*La montagne en poésie*, Folio Junior, Gallimard, 1980).

193. José Maria de Hérédia, « Et tout ce que... » (« Le récif de corail », *Les trophées*, 1893).

. « Et voilà... » (*Evangile selon saint Matthieu*, II, 7).

194. Raymond Queneau, « Le petit type... » (*Zazie dans le métro*, Gallimard, 1959).

195. Marquise de Lambert (1646-1733) (« Il faut bien plus... »).

. « Ces animaux... » (*Grand Dictionnaire Larousse de la Langue française,* édition de 1909).

196. Gérard Delisle, « Mangouste... » (*Rapsodies caraïbes*, Gallimard, 1960).

197. Jacques Prévert, « Moi, je jouais... » (« L'orgue de barbarie », *Paroles*, Gallimard, 1957).

198. Leconte de Lisle, « Couronnés... » (« Les elfes », *Poèmes barbares*, 1862).

200. Guillevic, « De la mer... » (*Carnac*, Gallimard, 1961).

201. « Le merle... » (Cité par Claude Roy in *La poésie populaire*, Seghers).

202. Furetière, « On a vu... » (*Essai d'un dictionnaire universel*, 1690).

204. Jean Cocteau, « Les miroirs... » (*Essais de critique indirecte*, Gallimard).

205. Victor Hugo, « Pas de monstre... » (« Le crapaud », *La légende des siècles*, 1859).

207. Paul Valet, « Quand on épouse... » (« Moto », *Sans muselière*, G.L.M.).

208. Alexandre Dumas, « Débraillés... » (*Les trois mousquetaires*, 1844).

210. René Daumal, « Chaque fois... » (*Chaque fois que l'aube paraît*, Gallimard, 1953).

212. Chateaubriand, « C'est une chose... » (Cité par le *Grand Dictionnaire Larousse de la Langue française).*

214. « Les tisserands... » (« Chanson des tisserands », Cité par Claude Roy in *La poésie populaire*, Seghers).

216. Charles Baudelaire, « Eh ! qu'aimes-tu donc... » (« L'étranger », *Le spleen de Paris*, 1862).

. Pierre de Ronsard, « Ô Fontaine... » (« Ode à la fontaine Bellerie », *Odes*, 1550).

217. « L'orang-outang... » (*Grand Dictionnaire Larousse de la Langue française*, édition de 1932).

218. Abou Nowas, Perse IXe s., « Vers toi... » (« Eloges d'Al Kasip », *La poésie arabe*, Seghers).

219. Lautréamont, « Vieil océan... » (*Chants de Maldoror*, 1869).

220. Pierre de Ronsard, « Ondes... » (*Odes*, Ode 10, 1550).

. Arthur Rimbaud, « Eternelles ondines... » (*Comédie de la soif*, 2. « L'esprit », *Poésies*, 1889).

221. Guillaume Apollinaire, « Sapins... » (« Les sapins », *Alcools*, Gallimard, 1920).

223. Marceline Desbordes-Valmore, « Cher petit oreiller... », *Bouquets et prières*, 1843).

225. Andrée Chédid, « Etre amphibie... » (*Fêtes et lubies*, Flammarion).

226. Blaise Cendrars, « J'ai acheté... » (« Hic haec hoc », *Au cœur du monde*, Denoël).

227. Blaise Cendrars, « Dans une baie... » (*Au cœur du monde,* Denoël).

229. Jules Romains, « Le navire... » (Cité par le *Grand Dictionnaire Larousse de la Langue française).*

230. Paul Claudel, « Elle se compose... » (« La pagode », *Connaissance de l'Est*, Gallimard).

. Victor Hugo, « Si tu veux... » (« Eviradnus », *La légende des siècles*, 1859).

231. Paul Valéry, « Calme... » (« Palme », *Poésies*, Gallimard).
232. Gérard Bialestowski, (« Le pangolin », *Il était une fois les animaux*, G. Bialestowski).
. Charles Dobzinski, « Le feu noir... » (« Panthère », *Table des éléments*, Belfond, 1978).
233. Guillaume Apollinaire, « Où faisant la roue... » (« Le paon », *Le bestiaire ou cortège d'Orphée*, Gallimard, 1920).
. Moritake, «Une fleur tombée...» (*Haïku*, Fayard, 1978).
234. Omar Khayam, Perse XIIe s., «Un livre de vers...» (*Rubayat*, Seghers).
237. Jean de La Fontaine, «La chétive...» («La grenouille qui voulait se faire aussi grosse que le bœuf», *Fables*, 1668).
238. Furetière, «C'est une vision...» (*Essai d'un dictionnaire universel*, 1690).
239. Raymond Queneau, «Le perroquet»... (*Zazie dans le métro*, Gallimard, 1959).
. «Une partie de pétanque...» (Chanson de S. Sarvil et V. Scotto).
240. Alfred de Musset, «La tempête...» («Le saule», *Poésies nouvelles*, 1852).
241. «Une grosse tête...» (Poème eskimo, Trad. de P.-E. Victor, Ed. Avant-Quart).
242. Guillaume Apollinaire, «Jetant son encre...» («Le poulpe», *Le bestiaire ou cortège d'Orphée*, Gallimard, 1920).
243. Kiichi, «Quand les pivoines...» (*Haïku*, Fayard, 1978).
244. Raymond Queneau, «Les beaux jours...» («Si tu t'imagines», *L'instant fatal*, Gallimard, 1948).
. P.-J. Toulet, «Douce plage...» (*Les Contrerimes*, Gallimard, 1979).
245. Raymond Queneau, «Bien placés...» («Art poétique», *L'instant fatal*, Gallimard, 1948).
246. Bernard Lorraine, «Que j'envie...» («L'abeille», *La ménagerie de Noé*, «Enfance heureuse», Ed. Ouvrières, 1981).
248. A. Leroi-Gourhan, «La principale...» (*Les religions de la préhistoire*, Presses Universitaires de France).
249. Victor Hugo, «Le bon roi...» («Aymerillot», *La légende des siècles*, 1859).
251. Charles Baudelaire, «Je vois...» («Le chat», *Les fleurs du mal*, 1857).
255. Rainer Maria Rilke, «Je te vois...» («Les roses», *Vergers*, Gallimard, 1926).

257. Maïakovski, «La poésie...» (*Vers et proses*, Éditeurs Français Réunis, 1957).

. Maurice Fombeure, «Le vent...» («Présence d'une angoisse», *A dos d'oiseau*, Gallimard, 1942).

258. Jean de La Fontaine, «Hé ! bonjour...» («Le corbeau et le renard», *Fables*, L.I, fable 1, 1668).

260. Théophile Gautier, «Voyant...» (*Le capitaine Fracasse*, 1863).

261. Jacques Prévert, «Une pierre...» («Inventaire», *Paroles*, Gallimard, 1949).

. Arthur Rimbaud, «C'est un trou de verdure...» («Le dormeur du val», *Poésies*, 1889).

263. Loys Masson, «Nous frôlions...» (*Le voilier nord*, Seuil).

264. «J'ai un long voyage...» (Chanson, *Le livre d'or de la chanson enfantine*, Ed. Ouvrières).

266. Jean de La Fontaine, «Capitaine Renard...» («Le Renard et le bouc», *Fables*, L.III, fable 5, 1668).

268. Lautréamont, «Moi, si cela...» (*Chants de Maldoror*, 1869).

. Paul Verlaine, «Même j'ai retrouvé...» («Après trois ans», *Poèmes saturniens*, 1866).

269. Alphonse Esquiros, «J'aime à voir...» («Les hirondelles», 1834).

270. Claude Roy, «Le rhinocéros...» (*Enfantasques*, Gallimard, 1974).

271. «Nous avons...» (Chanson de Charlys et H. Himmel, 1934).

274. Agrippa d'Aubigné, XVIIe s. («Une rose...»).

274. Tôkô, «La voix du rossignol...» (*Fourmis sans ombres*, Trad. M. Coyaud, Ed. Phébus).

277. Guillaume Apollinaire, «Saché-je d'où provient...» («Les sirènes..», *Le bestiaire ou cortège d'Orphée*, Gallimard, 1920).

278. Anatole France, «Quand l'homme...» (*Crainquebille*, Calmann-Lévy, 1903).

280. Guillaume Apollinaire, «Dans la plaine...» («Saltimbanques», *Alcools*, Gallimard 1920).

282. Paul Verlaine. «Les sanglots...» («Chanson d'automne», *Poèmes saturniens*, 1866).

284. Kikaku, «La lune...» (*Fourmis sans ombres*, Trad. M. Coyaud, Ed. Phébus).

. David Diop, «Afrique...» (*Coups de pilon, Anthologie africaine et malgache*, Seghers).

285. Maurice Fombeure (1906-1981), «Où la grenouille...» («Chanson du clair tamis», *A dos d'oiseau*, Gallimard, 1942).
286. «Dans une légende...» (*Dictionnaire des symboles*, Laffont).
287. Bashô, «Appels...» (*Fourmis sans ombres*, Trad. M. Coyaud, Ed. Phébus).
289. Robert Desnos, «Craie et silex...» (*Sol de Compiègne*, Gallimard).
. Homère, «Donc son premier...» (*L'Odyssée*, Trad. V. Bérard).
291. Shakespeare, «Filet de serpent...» (*Macbeth*, IV, 1, Trad. P.-J. Jouve).
292. Molière, «Des pieds...» (*Amphitryon*, II, 1, 1667).
293. Arthur Rimbaud, «Noirs dans la neige...» («Les effarés», *Poésies*, 1889).
296. Robert Desnos, «Avez-vous vu...» («Le tamanoir», *Chantefables et chantefleurs*, Ed. Gründ, 1944).
299. Paul Eluard, «A l'assaut...» (*L'amour, la poésie*, Gallimard, 1929).
. Louis Jouvet, «Un objet...» (*Témoignages sur le théâtre*, Grasset).
301. Le Clézio, «La machine...» (Cité par le *Grand Dictionnaire Larousse de la Langue française*).
. Joachim du Bellay, «Comme on passe...» («Antiquités de Rome», *Mémoires*, 1536-1540).
302. Robert Desnos, «Je suis la tortue...» («La tortue», *Chantefables et chantefleurs*, Ed. Gründ, 1944).
306. Onitsura, «Une truite...» (*Haïku*, Fayard, 1978).
307. «Je sais une église...» (Chanson de Ch. Fallat et P. Delmet).
308. Charles Baudelaire, «Pour l'enfant...» (*Les fleurs du mal*, 1857).
309. René-Guy Cadou, «Odeur des pluies...» («Automne», *Les amis d'enfance, OEuvres complètes*, Seghers).
310. Roger de Beauvoir, «Vautour...» («A un vautour captif», *Les meilleurs fruits de mon panier*, 1862).
311. Sénèque, «La méchanceté...» (*Lettres à Lucilius*, lettre 81).
. José Maria de Hérédia, «Et tout...» («Le récif de corail», *Les trophées*, 1893).
315. Racine, «Le vizir...» (*Bajazet*, 1672).
316. Victor Hugo, «Gavroche...» (*Les misérables*, 1862).
319. Blaise cendrars, «On se trouve...» («Squaw wigwam», *Au cœur du monde*, Denoël).

Les poèmes et comptines de Georges Jean qui ne figurent pas dans cette table sont inédits.